ちくま文庫

20ヵ国語ペラペラ

私の外国語学習法

種田輝豊

筑摩書房

目次

I　わたしの語学人生　11

II　20カ国語上達の記録　129

Ⅲ　ポリグロットのすすめ　151

Ⅳ　体験的速修術29項　181

本書は一九六九年（改訂版は一九七三年）に刊行されました。一部、今日の人権意識に照らして不適切と考えられる表現がありますが、執筆当時の状況、著者に差別的意図がないこと、著者が故人であることから判断し、そのままとしました。また一部、現在では実践が難しい学習法についての記述や、廃止・変更された用語、機関名、雑誌名などもありますが、書かれた内容の価値や読みやすさの観点、著者が故人であることから、そのままとしました。ご了承ください。

20ヵ国語ペラペラ

I

わたしの語学人生

ある朝、ホテルのロビーで

どこかで、電話のベルがなりつづけている。いつまでも……どこかで。——一九六八年の春のある朝のこと。

わたしはベッドの中で、夢うつつにそれを聞いていた。前夜、東京のサンケイ・ホールで、ある国際会議がひらかれた。わたしはその席で、夜ふけまで通訳をつとめた。それが終って、自分の家に帰り、ベッドにはいったのは、午前三時近くであった。それで、疲れてぐっすり寝こんでいたのだ。

……にわかに、電話のベルの音が、耳近くに聞こえた。自分の電話だ、と気づいた。わたしはベッドから出て、受話器をとった。窓にはすでに陽が明るい。ちょっと足もとがふらつく。

「はい、種田ですが……」われながら寝ぼけ声だ。

「モシモシ、こちらはDホテルのインフォメーション・デスクですが、朝早くからすみません」なにか、せきこんでいるような、元気な声だ。それにつられて、こちらの意識もしだいにはっきりしてくる。「実は、あのう……。いま、外人のお客さんがお着きになりまして、なにか言われるんですが、さっぱりわからないんです。こちらで、係の者が知っているかぎりのことばでおたずねしたんですが、どうしても通じないんです。それで、こちらに勤めているFさんが『種田さんなら世界中の国のことばを二十数カ国語も話すから、わかるかもしれない』といわれるんで、お電話したのです。おそれいりますが、急いでこちらまでご足労いただけませんでしょうか」

困りきって、もてあましている、という感じが伝わってくる。Fというのは、そのホテルに勤めている、わたしの友人だ。

――お手あげしたFの顔が目に浮かぶ。それにしても、外人客を扱うホテルで、わからないことばを話す外人とは、どこの国の人だろう。よし、困っているホテルのために、そして、もっと困っているであろうその外人のために、おれの知識が役立つかどうかためしてやろう。

わたしは急いで仕たくをして、とびだした。

ホテルでは、救いの神になるかもしれないわたしを、待ちかねていた。

「知っているかぎりのことばでやってみたんですが、どうしてもだめなんです。あの方なんですが……」

マネージャーが目くばせしたロビーのソファに、不安げな老外人客がただひとり、おどおどとこちらを見ている。はじめてきた異国のホテルで、彼はことばの通じない孤独におののいているらしい。

わたしは彼の前に行った。

そしてまず、念のために英語で

"Do you understand English?"（英語はおわかりですか？）

と聞いてみた。神経質そうなその白髪の紳士は、顔をしかめ、頭を横にふった。一見、北欧ふうの人なので、スペイン語やポルトガル語はどうせだめだろう。

"Alors, vous parlez Français?"（フランス語なら？）

老外人客は、これにも頭を横にふった。

"Sie sprechen Deutsch?"（ドイツ語をお話しですか？）

これもだめ。

"Может быть.....Вы говорите по-русски?"（ロシア語ならわかっていただけると思いますが？）

老紳士は、頭を横にふるばかり。

北イタリアには、ドイツ系の住民も多いから、あるいは……と

“Lei non sara mica italiano?”（ひょっとしたらイタリアの方ではないでしょうか?）

ますますイライラして、頭の横ふりがはげしくなるばかり。

オランダ人なら、ドイツ語でも少しは反応があるはずだ。そうすると、スカンジナビアかもしれない、と考えた。

“Kanske kommer Ni från Skandinavien?”（多分、北欧の方ではないかと存じますが?）

そのスウェーデン語を聞いたとたん、老紳士はとびあがりそうに腰をうかし、救いの神にとびつきたい、とでもいうように両手を大きく広げ、満面によろこびをあふれさせたのだった。そして、堰（せき）とめられていたダムの水が、いっせいにあふれだしたように、一気にしゃべりだした。

それまでのわたしの心配と好奇心は、いっぺんにふっとんだ。老紳士が孤独からのがれ、知友を得た歓喜と安堵（あんど）で語る、その音楽的リズムをもつ（中国語に似た）スウェーデン語独特の抑揚が、わたしの耳に矢のようにするどくとびこんでくる。わたしは圧倒され、おしつぶされそうだった。

コーヒーを飲もう、とホテルの喫茶室に誘ってから、わたしは老紳士の用向きをたずねた。

それはごく簡単なことだった。――東京に長く住んでいるスウェーデン人の友人に会いにきたのだが、その住所を書いたものを失って困っている。調べてほしい、というのだ。

さがしているその相手は、電話帳ですぐ見つかった。わたしはそれを彼に教えた。それから、また会いたいという彼の感謝の固い握手をうけて別れた。

わたしがホテルを出るとき、老紳士はすでに電話にしがみつき、その友人とであろう、美しいイントネーションのスウェーデン語で、夢中になって話していた。

わたしは、早く家に帰って、もうひと眠りしようと、タクシーに乗った。車に揺られてうとうとしながら、老紳士の歓喜の表情が目に浮かんだ。「ことばは……」とわたしは考えた。意思の疎通に、感情の表白に、「ことばは人間のよろこびだ」と。

幼い日のとまどい

父のドイツ語の雑誌

太平洋戦争も、ようやく結末を迎えようとしていた一九四五年の春——当時六歳だったわたしは、広島市の南段原（みなみだんばら）町に住んでいた。そこでも、敵国側のことについて、いろいろな噂が流れていた。たとえば、アメリカのルーズベルトやイギリスのチャーチルは、おそるべき悪人だ、といったたぐいのことである。しかしわたしは、そういった敵対的な話をよそに、新聞などにのっている彼らの似顔絵を見て、世の中には、ずいぶん変った顔の人間もいるものだ、としきりにふしぎがっていた。それというのも、人間というものは、どこの国の人間も同じだ、と思いこんでいたからかもしれない。

当時の幼い考えかたをいま思い返してみると、ことばについても、自分の母国語は、日本語という特殊なことばとは考えず、自分の話すことばで、彼らとも話ができる、と信じこんでいたように思う。

わたしの父は師範学校出身であったが、若いとき、ドイツから飛来したツェッペリン飛行船を見てから、一念発起してドイツ語を勉強した、といっていた。そういう関係からか、父は当時の鉄道省広島鉄道管理局に勤務していたのだが、ドイツのジーメンス社と連絡もあったらしく、家には、ドイツから送られてきた外国の雑誌類がたくさんあった。

いつもそれを見ていたので、横文字を見ても、これは大きくなって学校にはいってから教わる文字くらいにしか考えず、特別に好奇心をもったことはなかった。

ローマ字によるめざめ

一九四五年の四月、住まいが広島兵器廠（しょう）に近かったため、強制疎開を命ぜられた。父はいろいろ考えた末、北海道の網走（あばしり）に行くことに決め、母と私と二人の妹を連れて、住みなれた広島をあとにした。網走に落ち着いてから、わたしたち一家のものは、なれない農業に従事しなければならなかった。その八月に、戦争は終った。

北海道にも、アメリカ兵が進駐してきた。ある日、朝礼のとき、先生はこんなことをいった。

「みなさんは家に帰る途中、青い目のおじさんから『あなたはアメリカが好きですか』と聞かれたら、『はい、大好きです』と答えなさい。わかったね」

それを聞いてわたしは、自分がかねがね思っていたように、アメリカ兵にも、自分がいま話していることばが通じるのだ、と再確認した。しかし、実際には「青い目のおじさん」には一度もお目にかからなかったので、実験はできなかった。

四年生になってから、ローマ字の学習がはじまった。——多分、外国人は日本の字を知らないのだろう。だから、ローマ字で書いて読ませてやらなければならないのだろう。それでローマ字の勉強が必要なのだろう、とわたしは考えた。これは十歳の子どもには、一大発見であった。しかし、それでもまだ、ローマ字で書きさえすれば、日本語でそのままわかってもらえるもの、と信じていた。

そのローマ字が得意になってから後、ある日のこと、わたしは父親の書棚からドイツ語の年鑑を取り出してみた。いま考えると幸いなことであったが、それはドイツ語特有のカメの子文字を使っていない本であった。だからそれを、自分のローマ字の知識で読もうとしたのだが、どうも様子がちがう。これはどうしたことかと、父親にたずねてみた。そしてはじめて、自分の話しているのは日本語であり、世界には日本語以外のことば、すなわち、外国語もあるということを教えられた。これはわたしにとって、かなりのショックであったことを、うすうす記憶している。

おみやげの虎の巻

さっそく、父は、その実例として、ドイツ語の単語をいくつか教えてくれた。「お父さん」のことは Vater、「お母さん」のことは Mutter、「本」のことは Buch といったふうに。知識欲旺盛であったわたしは、それから毎日教えてもらった。まず発音を、つぎに綴り(つづ)をという順序で覚えていった。二週間ほどたってから、それまでに教わった単語を全部書いて数えてみたところ、二百いくつかの単語を覚えていたこと、そして、なにか大きな満足感を覚えたことなどがいまも思い出される。

同時に忘れられないことは、そのころから、ドイツ語を話す人々は、はたしてわれわれと同じような生活をする「人間」なのであろうか、という新しい疑問をもちはじめたことである。そしてこの好奇心は、ドイツ語にたいしてだけではなく、ドイツという国、ドイツの人々にたいするわたしの関心を、ますますふくらませていった。ひきつづきわたしは、父の持っていた雑誌を徹底的に見た。父の狭い書斎の棚には、技術関係の本が多かったが、中には、いま考えると、バイエルンあたりの風景写真の本もあった。そしてどんな写真がどの本の何ページにあるか、すぐいえるようになるまで、わたしはくり返しくり返し写真を眺めた。

一カ月たっても、なぜか父は、単語だけしか教えてくれなかった。わたしも、単語さえたくさん覚えれば、ドイツ語が話せるようになるものと確信していた。そして「ドイツ語が話せると、どんな気持かな」というようなことを考えた。

六年生になったある日、わたしの「世界観」はがらりと変えられた。たしか、冬のことであった、と記憶している。外出から帰ってきた父が、いつもにないほど大きなおみやげを買ってきてくれたのである。

あけて見ると、Jack and Betty という表題の英語の本とその「虎の巻」（学習書）、辞書、その他英語の漫画新聞ふうの小冊子などであった。中でも、親切な説明のある「虎の巻」が、もっともわたしをひきつけた。これには、単語ばかりではなく、文章の作り方も出ていることを知り、心がはずんだ。またごていねいに、英文字にはふりガナまでついている。

しかし、よろこびもつかの間、虎の巻にはなかなかむずかしいことが書いてあった。いま考えてみると無理もない。はじめて英語にとりくむ早熟の小学五年生に、中学二年用の教科書を買ってきてくれた父親の意図たるやなんであったのか、いまだに納得がいかない。表紙には、はっきりと Jack and Betty, Book Two と書いてあるのを見落とし（いや、見たところでそのときはわからなかっただろう）、翌年の春、中学生活から加わる新しい科目と早合点して、いっしょに買ってきてくれた辞書と首っ引きで単語の暗記にかかった。虎の巻の説明にしても、二年生用の教科書であり、Book One の内容を前提として書かれていたため、不可解な点が山ほどあったのは当然である。にもかかわらず、単語と同時に文章も何もかも（日本語の説明文も）暗記していき、わたしは熱病にとりつかれたかのように勉強しつづけたのであった。

ドイツ語、英語、日本語のちがい

その時、ドイツ語の単語をすでにいくつか知っていたことは、大きなよろこびであった。Vater → father, Mutter → mother, Bruder → brother, Schwester → sister, Haus → house, Buch → book といったような対称をなすことばは、わけなく覚えることができた。

しかし、いったいなぜ、ドイツ語と英語にこんなにも似かよった単語がいくつもあるのか、また、それなのになぜ日本語だけこうもちがうのか、とふしぎに思えてしかたがなかった。

このことは、私の語学人生にとっては、非常に有意義な早期のめざめであった、と考えざるを得ない。

もうひとつ、どうしても奇異に感じられたことは、アメリカ人はなぜわざわざ、「わたしは、です、一人の少年」というのか、ということであった。さらに進んで、「とき、先生がはいる、教室に、生徒たちはいう、『お早ようございます』」のたぐいの文に至っては、暗記してすらすらいえるようになっても、どうしても理由がのみ込めなかった。しまいには、ひとりごとで英語のパターンに合わせた日本語を口ずさんでは、一人でにやにやしたものである。「私は行く学校へ毎日」そこでまた一大発見をした。日本語の単語をこのようにならべておき、単語を一つ一つ英語におきかえると、しかるべき英語になるではないか、と！

そこで、この奇妙な語順の日本語になれようと、いま考えると、まことにいじらしい努力をなん度も重ねたものである。「ジャックは、です、もっと背が高い、よりも、ベティ」式に。

ところが、この効果は非常に大きかった。小学校を卒業するころまでには、本の三分の二くらいまでこぎつけていた。

中学校に入って第一日目。配布された教科書の中にあった英語の本。まさしく、あの同じ表紙の Jack and Betty なのだ。あけてみると、わたしが勉強したテキストより字が大きい。「ああ、これが一年生用の本か」と知った。家に持ち帰って、読みなれたテキストの表紙をよく見ると、Book Two と書いてあったのだった。

翌日からの時間割の中に、新しい中学校生活の希望を見つけた。「英語の時間」が、とくに一段光って、わたしには見えたのである。それにしても、先に二年用のテキストをくれて、肩すかしを喰わせた父が、うらめしく思えてならなかった。

さいはての地の中学生

ラジオで開いた語学の目

中学校に入ってからは、すべての学科に新しい興味を感じたが、英語についても、大きな期待を日に日にふくらませていった。

自分でいうのも口はばったいが、わたしは小学生時代は、六年間を通じて優等生であった。とくに好きな科目は、理科と図画と習字であった。それが中学に進んでからは、理科の興味は変らなかったが、図画と習字にはたいして関心をもたなくなった。その代わり、英語、歴史、地理が大好きな科目になった。とりわけ、しじゅう理科が好きだったことは、思いがけない点で英語の勉強に役立った。

当時、「初歩のラジオ」という雑誌を愛読していたわたしは、ある日、たしか三球ほどのものであったと思うが、短波ラジオの配線図を見つけ、さっそく部品を集めて組み立てにかかった。そのときコイルだけは指定のものを使わずに、自分で適当に作ったものを用いてみた。したがって、出来上ったときには、受信できた局の周波数はわからなかった。しかし、実はこれが、自分で自分にかけた「わな」ともいうべきものであった。どこの局かわからない放送を聞いていて、番組が一段落すると、「いまお聞きの放送は……です」という、局名のアナウンスを聞くことの楽しかったこと。スイッチを入れ、真空管が暖まるのを見、それからダイヤルをまわす。なんともいえないスリルであった。

雑音……また雑音……声！　ダイヤルを止める。

その中に、いままで聞いたことのないことばがつぎつぎとはいってくる。いま考えると、その一つが朝鮮語だったのだ（文尾に聞かれる……「ニダ」の印象がいまだに耳にエコーする）。さらにダイヤルをまわす。雑音……雑音……雑音……声。こんどは英語らしい。いや、たしかに英語である。「知っている単語がいくつか聞こえた！」と思った。しかし、確かではなかった。もっとよく聞こうと、耳をくぎづけにして聞きいった。長い、長い時間。しかし、何もわからなかった。英語にちがいない、と確信が得られただけであった。

フェイディングが多く、受信状態が悪くなったので、さらにダイヤルをまわすと、今度は、音量の豊かな、やはり英語にちがいない放送がはいってきた（これは、駐日米軍のＦＥＮの短波放送であった)。この放送では、わたしにも知っている単語が相当数聞きとれた。これは、はじめて聞くアメリカ人の英語だった。そのダイナミックな流ちょうさに、わたしは心酔した。これで、毎日の日課に新しい「楽しみ」が一つ増したのだった。そしてこの美しい放送の聞けるダイヤルの位置に「ENGLISH」とマークをつけたのであった。

"This is the……"まではわかったアナウンスも、"This is the Far East Network……"といっていることがわかるまで、少なくとも二年間はかかったように記憶している。最初はFar East が、「パーリー」としか聞こえず、Network の発音は真似すらできなかった。

学校での英語をばかにして

いっぽう、学校での科目としての「ジス・イズ・ア・ブック(This is a book)」式の英語には進歩のおそさもあって、初めのうちは歯がゆく、しまいにはたいくつ、そのうち、不満になってきた。胸をふくらませて期待していたこの英語の時間は、中学校にはいって二カ月もたたないうちに、「悪夢」に変ってしまった。

「この程度のことなら、小学校の一年生に教えてちょうどよいものではないか」と考えながら時間をつぶしたり、しまいには、別の教科書をかくして読む、いわゆる「内職」をしたりした。しかしそれも狭い教室でのこと、すぐ先生に見つかってしまった。そうこうしているうちにわたしは、英語（Jack and Betty, Book One 使用）の授業中に、自分の持っているBook Two を読むことにした。しかしそれも、結局は集中ができず、ただ内職のスリルを味わうだけのことに終った。

二学期がはじまってまもないある日、わたしはふとしたことから、教員室に、英語の教科書のレコードがあることを知った。先生からは、そのことについて一度も聞いたことはなかったが、わたしは放課後に押しかけて行って、それを聞かせてもらった。しかし、それはたいして役に立たなかった。わたしは、もう六、七課まで進んでいる教科書の内容を全部暗誦していた。それだのに役立たなかったのは、教室で先生が教えた発音と、レコードのそれとがあまりにもちがうので、聞きとれるところが少なかったからである。

わたしには、家で聞くラジオの放送のほうが、ほんものの英語のように思えた。そのころのわたしにとって、英語の発音に関するかぎり、学校やレコードから教わるよりも、わからない、流れの早い放送を聞いて、異国情緒の一端にふれて、気分に浸っているほうが楽しかったのであろう。それに、レコードを聞かせてもらうことは、いろいろな意味で気がねがあったことも見のがせない。

花ひらく六月の網走原生花園、筆者はこのあたりをよく散歩した

一年の秋ごろまでには、Jack and Betty, Book Two もほとんど読み終っていた。しかし、しごくお粗末な読み方で、後のほうに近づくにしたがって、あっさり目をとおした程度の個所が多かった。そろそろ、いわば「スランプ」におちいっていたのである。それに、一年の教科書にも、わからないところはたくさんあった。しかしわたしは、教室では常に追随を許さない優等生であった。そのスランプと重責のため、とうとう英語にあきがきた。英語の放送にも最初に感じた新鮮な印象、魅力が感じられなくなってきたのであった。

毎日、網走郊外にある原生花園で昆虫を集めたり、花の間で寝ころんだりし、家にこもっては理科の実験や新しいラジオの組み立てなどに熱中しはじめた。そして、課外活動としての英語の学習は、すっかり放棄した。そんな状態で、二カ月ほどたった。わたしのこの怠けぶりを見かねてか、父が、新しい本を買ってきてくれた。それは、小川芳男先生の「基礎英語講座」初級・中級（開発社）合わせて十二冊であった。しかし、それにも別に興味もわかず、机の上にならべたまま放っておいた。

転校がもたらした新しいファイト

本格的な冬の訪れもまもないある寒い日に、わたしたち一家は、呼人（よびと）という、網走の町はずれに引越した。学校も別の中学校に転校した。わたしは新しい級友にかこまれ、新しい教科書を手にし、しばらくは興奮のうちに過ぎた。

そこではまず、編入クラスの級長と仲よしになった。彼は英語に相当自信があるらしく、とっさに、"Do you speak English?" とたずねた。それにたいしてわたしが何と答えたかはおぼえていない。しかし、ずい分まごまごして、あがってしまい、汗をかいたことは覚えている。

その日、新しい家へ戻るとすぐ、わたしは昆虫標本、本、組み立てたラジオなどを、机の上に整理した。そして、机に向かっていろいろ考えた。その級長との出会いは、わたしにとってショックだったのである。しかし、何となく自信はあった。だから、わたしは彼の挑戦にたいしてファイトを燃やした。

大みそかの晩、久しぶりにラジオのスイッチをひねって、英語の放送を探した。しかし、雑音が多く、聞きたいような放送ははいってこなかった。中波に切り換えると、NHK第二放送の、松本亨先生の英語会話講座が入ってきた。内容は中学三年程度のものである。これは非常におもしろかった。まるで、のどが渇いているときに与えられた水のようであった。放送が終ってから、父にもらったまま一ページも読まずに放ってあった、小川先生の十二冊の講座を取り出し、一冊、一冊、内容の様子をさぐりながら、ページをめくってみた。

この本が、砂漠でめぐりあったオアシスのようにわたしには思え、さっそく、どこことなく乱読してみた。そして、最終巻の最後の章に、非常にむずかしい内容のテキストを見つけた。そのとき「よし、この本で行こう」と固い決意をしたのであった。それ以後、わたしが中学校時代に読んだ英語の参考書は、この「講座」一本だけであった。

新しい学校ではRobin Readerという教科書を使っていたが、授業の進度がおそいことと、その中で皆と同じ本を読むことに耐えられず、教室以外でこの教科書を読んだことは一度もなかった。それにもかかわらず、試験はたいてい百点満点であった。

英語講座とのたたかい

この十二冊の本を前にして、わたしはまず勉強の計画方針をたてるべきだと思った。しかしともかく、最初は全巻を通読し、内容の詳細は完全にはわからなくとも、わかったものとして全学習の範囲を頭に入れよう、それから勉強方針をたてることにしよう、と考えた。

わたしは一ページ一ページずつページをめくりながら、どんな文法的説明があるか、自分の実力に照らし合わせて、どの程度のテキストが出てくるかを考えながら、いわば本の中を散歩して行った。中にはテニスンのロマンティックな英詩や、モンテクリスト伯の話などのように興味ぶかい文章もあったので、それに時間をかけて、とことんまで読んだりした。この通読は四、五日で終った。つぎに、自分の実力はおおよそ、この本のどのへんに相当するかを決めなければならなかった。一冊目は発音の説明、簡単な文章程度のものなので除外した。二冊目も、三冊目も知っていることだけしかのっていなかったが、念のため、三冊目は、英文テキストにだけ目を通しておいた。

結局、四冊目から始めることにした。当時手もとにあった英語関係の本といえば、

「コンサイス英和辞典」(三省堂) だけ。ノートは用いず、新しい単語が出てきたときは、テキストに赤エンピツでアンダーラインをつけた。スペリングを覚えるためには、紙切れになん度か書いて、覚えたと確信したものはその場で捨ててしまった。

要するに、文法事項の理解、文の読解力、そして出てくる文の暗記の線にそって勉強を進めたことになる。テキストは声を出して読んだ。繰り返しをいとわなかったわたしには、記憶ができなくて困るというようなことはいっさいなかった。

登校下校の途中は、読んだテキストの、覚えている部分を思い出しながら、口ずさみつつ歩いた。そして、覚えた文の内容どおりのことがいいたくなるような情景に自分を置いてみて、空想し、その文を口ずさんだ。これは、英作文ないしは英会話に、格好の練習方法であった。

ひと冬このようにして、わたしは英語に熱中した。春になり、二年生になった。この期間の努力はかなりの成果をあげ、わたしは中級の二、三冊目まで進んでいた。上級の三年生が、わたしのところに英文和訳を聞きにきたのも、副読本に Fifty Famous Stories を読みあげたのもこのころのことである。

世界に窓が開けた

しかし、熱中は長続きしないものである。春の陽気にさそわれて、外で過ごす時間が多くなったわたしのことを心配した父は、雑誌「ユース・コンパニオン」(旺文社)を買ってきてくれた。わたしは生来、他人から押しつけられることがきらいなせいか、あまり関心がもてず、内容的には別にどうというものも発見しなかった。しかし、ペンパルの欄にだけは目をとめた。英文の手紙のことは、それまでは考えてもいなかったのである。

そこで小川芳男「英文手紙の書き方」(旺文社)を買ってきてみた。そして、これはまたおもしろい読み物が手にはいったものと、十日ほどかけて、初めから最後まで、例の散歩程度の気持で通読した。

それから、なんとか五、六行の文を書いたところで、「ユース・コンパニオン」のペンパル・リストの中から「どれにしたらいいかな」式で相手を選んだ。それがMrs. Hansenという、アメリカ、カリフォルニア州オークランド市に住む人であった。

とにかく生まれてはじめての英語の手紙を、わたしはこの婦人に出してみた。北海道も北の端の町である。郵便局ではそれまでに外国向け郵便をあまり扱ったことがないらしく、ずいぶん手間どって引きうけてくれた。その後、毎日毎日首を長くして待ったが、返事がこないまま一カ月が過ぎた。そのうちに、手紙のことはすっかり忘れてしまった。多分、わたしの英語が通じなかったのだろうと観念して。

そのころ、父が英字新聞 The Japan Times を、向こう六カ月分予約してきた。これには閉口した。毎朝届けられる英字新聞――自分が進歩したところまでならだいたい自信のあったわたしも、英字新聞を読むにはまだほど遠かったからである。それだけでなく、またもや一方的に父から押しつけられたことにたいして、一種の抵抗感をもったりした。

二年の夏休みにまもなくなる前のある朝。日課のラジオ体操から帰って朝食をとろうとテーブルについたとき、郵便配達のおじさんが、見なれぬ手紙を持ってきた。これこそわたしの英語に、うるおいを、いや、生命を与えてくれた Mrs. Hansen からのレター第一号であった。

ふるえる指で封筒を切ると、三枚のペン書きの便箋(びんせん)がでてきた。このときのよろこびと興奮をわたしは忘れない。それまでの勉強の努力にたいするほうび、そのほうびがもたらした勝利感、外国を見渡せる大きな窓が開けたという、大げさにいえば世界観のひろがりなどによるものであったろうか。

Dear Terutoyo,

Thank you very much for your interesting letter which I have just received……

これが、Mrs. Hansen からもらった最初の手紙の書きだしである。その後、何十通受けとったかわからないが、その内容をわたしは全部暗記した。

学校で成績のよかったわたしは、家庭でもある誇りをもっていた。あけて読んだ手紙に、まだ見たことのない単語がいくつかあったにもかかわらず、ともかくその場で適当につくろって訳して聞かせた。それを聞いている父のうれしそうな顔、母や妹たちの崇拝者を見るような顔つきをいまもはっきり思いだすことができる。

それからの、この人との文通は、わたしの英語ないしは外国語にたいするめざめにとって、測り知れないほど有意義なものであった。手紙の内容はありきたりのものであったが、彼女は熱心なクリスチャンで、わたしもキリスト教を信ずべきであると、毎回毎回すすめてきた。バイブルや宣教のための読み物もしばしば送ってきた。が、とうとう信者にならぬまま、このわたしの最初のペンパルが、老衰で亡くなったのは、六年間の文通をつづけたあとであった。

若い英語教師の自尊心

そのころのわたしは、暗記する努力をしないで、辞書をあちこちかいま見するくせがついていた。そのため、知らないうちに語いが豊富になっていた。その結果、つぎのようなことが起こっても、当り前のことのようにわたしには思えた。

中学三年のとき（学年末であったか）、英語の試験に

「Greece（ギリシア）……の形容詞をあげよ」

という問題がでた。Greece の形容詞は二つ知っていた。ふつう広い意味でのその形容詞は Greek であるが、もう一つ、「ギリシア彫刻」、「ギリシア的表情」などといった使い方では Grecian という形容詞も用いられることも知っていた。

わたくしは Grecian と書いた。しかし、先生は Greek しか知らなかったのか、わたくしの書いた Grecian をバツにし、二点引いてあった。九十八点でもクラスでは一番であったが、ともかく、先生に公に抗議した。するとその若い先生はその場で辞書をひいて、かっとなった。

「辞書には確かに出ているけれど、Greek の方が常識だろう。Grecian を知っていて、Greek を知らないのは片手落ち」だといった。

ともかく、その結果、百点は渋々もらったが、これ以上むだに先生を恥かしめてはと自重し、Greek という形も知ってはいたが、わたしは自分のプライドを捨てた。しかし、やはり Greek も当然書いておくべきであったろう、といまは思う。

花ひらく英語の自信

入学当時で英単語四千を記憶

　高校に入学してはじめての英語の時間。教室ではみんな、新しい教科書を前にして、先生が入ってくるのを待っていた。やがて廊下に足音がひびき、みんなは緊張した。

　入ってきた先生は、まだ若い男の先生であった。その先生が、なんとこうごうしく見えたことか。一九五四年の春であった。そのころまでには、英語の単語に関しては、四千語見当の passive vocabulary（自由に使いこなせないが、読んで意味のわかる語い）をわたしはもっていたようである。新しい教科書にざっと目を通してみても、どうしてもわからないような個所は見当たらなかった。要するに、文章の構造で目新しく思ったものはほとんどなく、単語の意味を調べれば問題ない程度であった。しかし、この新しい教科書は、中学三年のものにくらべて、ともかく「歯ごたえ」はあった。読んででわかっても、消化しきれないものがいっぱい残った。にもかかわらず、自分の習慣の中に知らぬうちに形成されていたシステムになれきってしまっていたわたしは、例の「むちゃ」をくりかえした。つまり、歯ごたえを感じさせるこの本の征服にとりかかるかわりに、高校二年、三年の教科書を買ってきたのである。

そして、家に帰ると、また例の「散歩」にとりかかった。五、六時間で、二年と三年の各課の内容を吟味し終え、これで、高校の三年間にわたって使う教科書の全展望が得られた、と考えた。この「散歩」の途中で、内容的に興味のあるものと思われる部分（科学的、歴史的な傾向のもの）にはしるしをつけ、のちほど熟読することにした。

このように、一見変った勉強法をしていたわたしも、遠景をボンヤリ眺めているばかりではなかった。足もとをよく見つめて歩く必要のあることも十分認識はしていた。しかし、どうしたら、夢を見ない、もっと現実的な学習ができるかを、真剣に考えなければならなかった。

はじめてのアメリカ人との出会い

ある初夏の土曜日の放課後、クラブ活動では放送部に入っていたわたしは、級友と窓からグラウンドを眺めていた。

北国の網走でも、七月に入ると、まっさおに晴れわたった空の下、遠くに広々としたオホーツク海が見わたせる風景が、豊かな色彩的バラエティの中に展開される。

グラウンドでは、放課後のクラブ活動で、思う存分に初夏の太陽を楽しむ各運動部の学生たちが、野球、バレーなどをしていた。わたしの在学していた道立南ヶ丘高等学校は、オホーツク海をすぐ足もとに見おろす高い、急ながけの上に立っていた。

突然、グラウンドに大きなダークグリーンのトラックが、迷い子のように乗り入れてきた。トラックがこのグラウンドに入ってくることは、あり得ないと考えたわたしは、この怪物がグラウンドをひとまわりして、中央部の芝生に止まるのを見とどけると、いっしょにいた三、四人といっせいに校舎から校庭に飛び出した。というのは、まだ見たことのない人種が、そのトラックに貨物のように乗っかっているのを見とどけていたからである。それは、日光の下で、まぶしくはえる赤緑黄のはでなシャツを着た、網走駐とんのアメリカのGIたちであった。かれらは車から飛び降りるや、三々五々に散らばりながら、キャッチボールを始めた。わたしたちは、かれらのつやのある声、ガムをかみながらの極端な強弱のある話し方、その異様な体つきなどを見て、あ然として草の上に坐っていた。

やがて、英語の先生の一人がおもむろに出てきて、かれらの中でもいちばんえらそうな人と、なにか話しはじめた。わたしたちはそばへ走り寄って、それを立ち聞きした。先生のいうことをわたしはほとんど全部理解した。
"So you wish to play baseball with our students?"
といっていた先生のことばを、わたしはいまだに思い出す。それにひきかえ、答えたアメリカ人のことばを、わたしはひとことも聞きとれなかった。しかし、なぜか驚きも失望もしなかった。
高校には、あちこちの中学校出身の生徒が集まっている。しかも、各中学校には「英語気狂い」が一人や二人はいる。わたしのクラスにも、英語の成績のよい生徒がなん人かいた。放送部にも一人いた。
勇気のあるかれは、そこで、
"Where are you from?"
とそのアメリカ人に聞いた。すると、一人のＧＩが、かなりスピードをおとして、
"I am from California."
と答えた。
そのとき、わたしはしり込みして、ただ傍観役で終ってしまった。
はじめての外人との会話

網走から、汽車で二十分ほどかかる呼人(よびと)から通学していたわたしは、その日、帰りの汽車の中で、一人ぽっちの米兵がいるのを見かけ、そのそばに坐った。かれは、日本人の少年など眼中にないらしく、窓から外ばかり眺めていた。わたしはその人と話をしてみたかった。しかし、呼人はつぎの駅だった。時間はたつばかりなのに、かれは相変らず外の景色を眺めている。たまりかねたわたしは、胸をときめかせながら、小さな声で、

"Excuse me."

といってみた。すると、かれは、空色の目をわたしの方に向けた。瞬間、わたしは「しまった!」と思った。彼に話かけてしまったことを後悔した。しかし、もう逃げられなかった。

"Where are you going?"

と問いかけてみた。するとと意外にもかれは、体の向きを変えて、親切に、

「アー、チィトウセイ」

と答えたのである。すっかり、あがってしまっていたわたしは、それが、「千歳(ちとせ)」だとはとっさには思いつかず、

"What means Chitousei?"(正しくは、"What does 'Chitousei' mean?" というべきところ)

と、勇気をふるい起こして聞いてみた。
"You don't know 'Chitousei'?"
といわれ、わたしははじめて札幌の近くにある千歳とわかり二人で笑った。
〔網走にきてどのくらいになりますか?〕
〔いつも網走にはいないのですか?〕
〔またお目にかかれますか?〕
〔いつか英語の録音をしていただけますか?〕
など、一連のことが聞きたかったが、すでに汽車は呼人の駅に近づいていたし、たとえ時間があっても、とっさにそれらのことを、英語で実際にいえるかどうかわたしには自信がなかった。でも、なにかいおうとしていると、かれは、
"You-speak-English-very-good."
と一言一言ゆっくりいった。
こういう話し方をしないと、わかるまいと考えたらしいかれの話し方を、あまり気にもせず、わたしは、
"I hope so."
と、なにかの本で読み覚えのあるきまり文句を使った。すると、

"I'll give you my phone number."
といって、紙きれに、かれの駐屯するキャンプの番号と自分の名前を書いてくれた。汽車が呼人に着いたので、立ってなにかいおうとしていると、またかれのほうから、なにか早口でいったあとで、ゆっくりと、
"Hope to see you again. I'll be back from 'Chitouse' tomorrow."
といった。そして、
"Do you smoke?"
といいながら、タバコ（いま考えるとLucky Strikeであった）を二、三本くれた。タバコを吸わないわたしは、その「贈り物」を、はじめて話したアメリカ人の思い出にと、長い間机の引出しにしまっておいたことを覚えている。
英語でひとりごとを
まず第一に、とてもうれしかったこと。汽車の中での会話を一つ一つ、対話の形で思い返してみた。しかし、いったん興奮がさめると、自分の使った英語は、まったく幼稚なものだったことに気づいた。そして気が沈む思いであった。
読解力にはたしかにかなりの自信があった。英作文にも、文通で覚えた、いろいろ

ないいまわしが頭の中でこだまし、ちょっとした自信があった。それなのに、話したものは、片言にすぎなかったのだ。

〔まてよ……〕あるひらめきがあった。

〔書けるなら、その同じことが話せてもいいのではないか？ そうにちがいない。いや、そうだ！〕と思った。

書けることを、声にして出す（もちろん、辞書のやっかいにならずに書ける範囲内でのことだが……）。しかし、書くことはゆっくりでもいいが、話すときはそうはいかない。でも、速く書ける文だってある。それなら、速く話せる文だってあってもいいわけではないか。

そこで、その、速く書ける文を、いくつか考えてみた。

This afternoon I spoke with an American for the first time in my life......

そしてひとりごとで、その文を、声を出していってみた。「自分は英語を話しているではないか。しかも、割合にスラスラと！」と知り、独断的にもう自分は英語が話せると自信をつけた。そして、以前にも、ひとりごとをよくやっていたことを思い出し、すぐ思いつく文は速く、考えなければならない文は考え考え、ゆっくり、声を出していいながら歩いた。それからというものは、ひとりでいられる時間が楽しみになった。

この「ひとりごと」は、毎日繰り返した。自分のいえる範囲のことを声に出していう——これはわたしにとって、測り知れないほど役に立った。

同時に、実際に話すときは、あせることは結局、自分を無口にしてしまう、ということも知ったのだった。

発音についての最初の発見

当時の網走の街々は、どうやら活気を欠いていたらしく、GIたちは街をブラブラするよりも、わたしたちの高校に遊びにくるほうを好んでいたようだ。こちらから電話をかけて呼び出すこともなく、かれらにはしばしばグラウンドで会った。

放送部の連中は、学校で使っている英語の教科書を録音してもらっていた。わたしはむしろ、かれら同士の話に聞き入ったり、話に加わったりしているほうが多かったようである。

そうしているうちに、わたしはあることに気がついた。これも、わたしの経験の中では、「一大発見」として、特筆大書すべきものであると思うが、かれらの話の中に出てくる、日本の地名の発音である。注意して聞いていると、「ワッカナイ」は「ウォーケナーイ」のように、「チトセ」は「チィトウセィ」のように発音している。つまり、日本風の「ワッカナイ」とか、「チトセ」のような発音は英語にないらしいのである。うなずける点がたくさん出てきた。

たとえば、野球でいうバッター（batter）は［bæta］、すなわち、「ベァタ」のように聞こえる。また、日本語化した「キッチン」、「マットレス」、「カッター」なども、それぞれ英語では、そく音がない。〔かれらに日本語を教えて、真似をさせてみれば、英語の発音の特徴がつかめるにちがいない〕と考えたわたしは、日本文をローマ字で書いて、かれらに読ませてみた。「ウェターシュワ、イーマ、ネハンゴウオウ、ベンキオウ、シーティ、イマース」式の結果が得られ、いちおう自分の考えどおりに役立つ仕事と見られた。そして、失礼にならない方法で、同じ実験を繰り返した。テープにも録音させてもらったりした。また、当時の全能力を動員させて分析も試みた。

その結果、発音の問題に関心を示しだしたわたしは、辞書の発音記号の説明の欄を徹底的に読みあさった。それは問題意識がはっきりしていたため、非常におもしろい勉強であった。

「英語気狂い」のレッテル

このころ、わたしは校内ではもはや「英語気狂い」（実際には「英語の天才」と呼ばれていた覚えがある）としてとおっていた。そんなある日、町野校長から、網走駐とん米軍キャンプの隊長に、校長室で紹介された。それまではそんなに英語が達者だとは知らなかった校長と、その隊長と三人で、なんの話をしたかは覚えていない。十分ほど「おしゃべり」をして、失礼しようと立ったところ、その肥った大きな軍人は、わたしに握手を求め、

“You have a beautiful pronunciation. Congratulations!”

といった。

〔これで、発音に関するかぎり卒業だな〕とわたしは思い上ったのだった。

ところが、このことばに信用をおかれた校長は、何日かの後、わたしを校長室に呼ばれて、

「今年の秋、札幌で開かれる全道高校英語弁論大会にぜひ出てみなさい」

と命令口調でおっしゃった。

「自信はありませんけれど、ともかく出させていただきます」

わたしはその場のがれのうそをいってしまった。出る気持など少しもなかったので

ある。

夏休みになると、それまで教室以外では、一度も教科書をあけたことのなかった全科目について、勉強の整理をすべきだと反省した。しかし、そのころまでには、科目ごとに好ききらいがはっきりしてきていた。

「大学受験にさしつかえのない程度なら、好きな科目に集中したほうがいいだろう」

と、父はいっていたが、そのことばを聞くと、わたしは思わずわれに返った。中学校時代の勢いもあって、全科目にわたり成績はよかったものの、新しい知識をつめこむことなしに保ってきた、進歩のない科目がほとんどであった。とくに、理数系統が煙（けむ）たく感じられてきた、いわば決定的な時点に立っていたのである。

しかし、こんな心配もつかのま、いつのまにか、わたしはまた英語のとりこになってしまっていた。

まず、しばらく放ってあったラジオのスイッチを入れてみた。しかし、夏の空中状態は、短波受信には協力してくれず、結局、中波でNHKの朝のラジオ講座を聞くことにした。

音をぬって歩く運命の予感

英会話の時間の前にドイツ語講座、フランス語講座などがあった。時間をつぶすあいだ聞いていると、ドイツ語は、英語を始める前に少しかじったことがあるので、なつかしさがよみがえった。フランス語では、その音の特異さにうたれた。そして、その日のうちに町へ出て、それぞれのテキストを買ってくるほど感激した。しかし、別にドイツ語やフランス語を学ぼうという意欲をはっきりもったわけではなかった。

わたしは思った。知らない外国語を耳にすることは、いろいろなお城の外壁を眺めているようなものである、と。わたしは、当時、ドイツ語、フランス語の外壁を眺めるだけでは満足せず、その中にも入ってみたい好奇心が非常に強かった。つまり、テキストに印刷されている字づらを見ながら、それを読むのを聞いてみたかった。実はそれが、後日これらのことばを勉強したくなる食欲増進剤のようなものであったのである。

このことに関連して思いだすのは、前後して、やはりＮＨＫの中国語、ロシア語、スペイン語等の入門講座に耳をかたむけてみたときのことである。そのときわたしは、それらすべての外国語がもつ、それぞれの音の特徴ある奇異さ、ないしはその音の規則正しい美しさを深く印象づけられたのである。

そして、決心ではなかったが、自分はこれらのふしぎな音の間をぬって歩きながら、一生を過ごしてしまうのではないかな、という予感がチラッとしたのも、この高校一年の夏休みのときであった。

また、同じことをいうのに、あれほども異なることばがあるのはなぜなのか、さらに、それぞれ異なったことばで、ほんとうに同じことを表現することがはたして可能なのであろうかと、宙を見つめながら考えにふけったりしたのもこのころのことである。

バランスのとれた知識

いちおう自分なりの方式で英語を話すことは、さほど困難なことではないと悟ったものの、わたしは自分がとっている英語の勉強のしかたに、大きな不安を感じはじめた。この不安の原因は、やはり、バランスのとれた知識をもたないことにあったらしい。

読んでわかる単語はかなりあったにもかかわらず、自由に使いこなせる単語が少ないことも知った。また、使ってみたい単語があっても、その使い方を知らないこともあった。

小川芳男先生の「基礎英語講座」十二冊は、すでに読破してしまっていた。かなりの重さの知識が頭にはいった感じはあったが、ただ、雑然とつめこまれた大量の知識であった。

ペンパルのMrs. Hansenに手紙を書くときは、かなりらくに、書きたいことは書けるようになっていたが、いったい自分の書く英語は、百パーセント正しいものなのだろうか、という新しい疑問にぶつかっていた。

成績はクラスで一番ということが、わたしに無意識のうちに自信を与えていたらしかったが、この自信も根こそぎぐらついてきたのであった。

英語への夢を友と語る

夏休みの宿題のことで、英語が不得意という級友のI君と話しているうちに、他の科目にくらべて英語は（不得意であったにせよ）夢をさそう科目であるということで二人は意見が一致した。

「なぜなんだろう、他の科目とどうちがうんだろう」

とかれの意見を聞いてみた。

「日本語とはぜんぜんちがう発音を聞いたりしてると、やっぱり異質なものへのあこがれがめざめるのを感じるな」

「じゃ、もう話す人がいなくなったようなことばには、興味を感じないかい。たとえば、ラテン語なんか?」

「だって、そんなことばは、どうやって勉強できる?」

なるほど、そうかな、とわたしはその瞬間思った。しかし、ラテン語を日常話している民族はもういないが、カトリックの神父さんたちは、ラテン語のバイブルを読み、中には話せる人だってたくさんいる、とだいぶ前に父から聞かされていたことをわたしは思い出した。

「もっとも、母国語としてではなくても、ともかくラテン語を話せる人はいる。たとえばカトリックのぼうさんたちのように」

とつけ加えてみたが、この問題に大きな関心をもたないらしいかれは、話題を変えて、

「きみは英語をどうやって勉強したんだい? 何か秘訣があるんだろう」

と、しきりに勉強法について教えてくれ、といった。しかし、わたしはラテン語のことが気になり、とっさに返事ができなかった。

友人を目の前にして、わたしは考えた。わたしを英語の勉強にかりたてるものはいったいなんなのだろう? 英語という窓を通して見られる外国へのあこがれだろうか? もし、このような生きた文化的背景をもたない、ラテン語のような死語につい

ても同じような情熱がかたむけられるだろうか？　多くの他の科目とちがい、英語には音楽のように、刺激的な音という要素が伴う。他の科目の音（日本語）は、ただコミュニケーションの手段としてしか役目を果たさず、その「音を楽しむ」余ゆうが与えられていない。

結論を出す前に、友人のことばにも、耳をかたむけてあげなければならなかった。

「いままでどんな勉強のしかたをしてきたの？」

と迫られても、とっさに答えはだせなかった。

「とくに信条としてもつような勉強法などないだろう。ただぼくは教科書を中心とした勉強はしないよ」

「じゃあ、なにを中心にする？　文法か？　ぼくこんな本買ってきたけど、あまりおもしろくないよ」

そういうと、かれは本棚から「英文法」という題の本をとって見せてくれた。

文法書にしがみついた

友だちがさし出した本をあけて見た瞬間、小学生のとき、父から与えられたJack and Betty, Book Two の「虎の巻」をあけて見たときと同じ感激を再び経験した。十二冊の講座だけしか読まなかったわたしに、いま、自分に必要なのは、まさに一冊にまとまった文法書であったことが明らかになった。これで、この横ばい状態から脱出し、さらに進歩できる見通しがついた。

友人の家を出るとさっそく本屋へ飛びこみ文法と名のつく本はすべてあたってみた。どれを見てもおもしろいものであった。見る本ごとに吸い込まれるように読み入った。一時間半くらい立ち読みしたあとで、やっと良い本と悪い本が区別できるようになった。わたしは「良い本」と「悪い本」の区別の基準を、単純に、例文が豊富か否か、ただ理論的説明だけか否かにおいた。

結局、最後に選んだ本はかなりぶ厚いものであった。興奮していたわたしは、その本を読みながら家へ歩いて帰った。

この、わたしにとって記念すべき本の名は、残念ながらいまは覚えていない。ただ、はっきり覚えているのは、その晩、朝の四時ごろまで机に向かって英文法の味をじっくり味わったことである。発音に関する説明、八品詞についての概要、それから各品詞ごとの詳細、最後に文章論というぐあいに、いわば、わたしが知っていた英語の総整理以外なにものでもないこの勉強に、それからのわたしは没頭したのであった。

この本は、当時のわたしにとっては、少し程度が高すぎると思われたが、知らない単語にはアンダーラインを引き引き、なん日かかけて、ともかく一度ざっと読み通した。例文は、どれをとってもすぐ文通に、会話に使いたくなるようなものばかりであった。

ギリヤーク語に憑(つか)れたアメリカ人

やがて二学期が始まった。九月に入っても、北海道の残暑は思いのほかきびしく、グラウンドでは相も変らず例のＧＩたちが上半身裸で野球をしていた。

そんなある日、放送部の他の部員たちといっしょに、グラウンドの芝生に坐って、ＧＩたちの野球を見学しながら、べんとうを食べようと、グラウンドに出ていった。「ヤンキー・チーム」のキャプテンが草の上に坐って、もう一人の、様子のちがう黒い背広を着た外国人と話をしていた。以前からわたしを知っていたそのキャプテンは、わたしに「ハロー」と声をかけ、

“Taneda-san, this is Mr. Austerlitz.”

と、その黒い背広の人に紹介してくれた。学生あがりか、偉大な学者の卵かにちがいない、と思われたその人は、日本語で、

「オースタリッツと申します。どうぞよろしく」

と、大げさに礼儀正しくおじきをした。

外国人と日本語で話したことのないわたしは、少々めんくらったが、ともかく、

「はじめまして、どうぞよろしく」

と答えた。すると、そばでにこにこしていたキャプテンが、

"This boy speaks excellent English."

と、オースタリッツさんに教えた。するとかれは、

"So, you do speak English."

と、別に驚いた様子もなくいった。

わたしは、この人がどんな人なのか知りたかった。

"Are you a university student?"

と聞いてみたところ、

「イエス、まあまあネ」

といって、キャプテンの方を向いて笑った。そして日本語で、

「わたしはギリヤーク語を勉強するために網走へきました。北海道にはギリヤーク人がだんだん少なくなっているでしょう。網走に中村さんというギリヤーク人のおばあさんが一人います。その人に録音とらせてもらっています」

といった。ギリヤーク語とはいったいなんだろう。わたしは、はじめギリシア語のことかと思った。しかし、わざわざ網走へギリシア語を学びにくるわけがない。かれと

は、英語で話すことに気おくれがしたわたしは、

「ギリヤーク語って、どんなことばですか？」

と聞くと、

「アジアの北方民族のことばです。アイヌとどんな関係にあるかまだわかっていません。そのほか、オロチョン、ツングース、サモイエドなどとの関係も明らかにされていません」

とかれは答えた。さらにつづけて、

「あなたは言語学に興味をもっていますか？」

と聞いてきた。言語学とは、正確にどんな学問なのかは知らなかったが、ことばに好奇心は十分にあるので、ともかく、

「はい」

と答えた。

するとはたで黙って聞いていた友だちが、

「言語学って、どんな勉強をするんですか？」

とたずねた。すると、その落ち着いた外国人は、

「簡単にいうと、ことばに関するいろいろな勉強でしょうね」

といった。そのくらいのことは知っていたが、わたしたちは、その人の日本語のあやつり方にすっかり魅せられてしまい、しまいには話すために話していた。オースタリッツさんは最後に、

「どうぞいつか遊びにきてください。これ、わたしの名刺です。言語学の本あげますね」

といって帰って行った。

かれをアメリカ人とはじめから信じて疑わなかったわたしは、「アメリカの方ですか?」とも聞かず、また、「日本へきてからどのくらいになりますか?」と聞くのも忘れてしまっていた。かれの日本語は、その発声法、アクセントなどの点では、少々エキゾチックではあったが、ともかく流ちょうな印象を受けた。わたしもあのくらいに英語を話せるようになりたい、と思った。

まのあたりに見た言語学

翌日、網走の郷土博物館々長の奥さんで、わたしたちの学校で家庭科を教えていら

っしゃる若い米村先生に廊下で話しかけられた。「いまわたしの家に、とてもすてきなアメリカの若い言語学者の方が部屋を借りていて、毎日忙しそうに仕事していますよ。たまに遊びにきてあげたら、よろこぶかもしれませんよ」

礼儀に関してはとくにきびしい、その和服の先生の前で、わたしは固くなって、

「その方、オースタリッツさんとかおっしゃる人ではないでしょうか？」

とたずねてみた。

「あら、もうお会いになったのね。じゃ、ぜひ遊びにきてあげたら」

とすすめられた。放課後さっそく電話をしてみると、「すぐいらっしゃい」という。わたしは学校から近い、郷土博物館に走って行った。わたしは米村家の二階の部屋に案内された。

「いらっしゃいませ」

と、オースタリッツさんは女の人のようなものごしでたたみに手をついて、挨拶した。

わたしも無言のまま、おどおどしながら同じ動作をした。頭を上げて見ると、この四畳半の部屋中本だらけ。本棚代用のリンゴ箱、その他、無数のなにか書かれたカードが入っている小さな木の箱が、みごとに散らばっていた。そのどまん中に、小さな低い机、その上に古ぼけた黒いタイプライター、その後ろに、あぐらをかきなおした

オースタリッツさんが、ざぶとんの上に坐っていた。

「この小さいカードはなんですか?」

と聞くと、

「いま、ギリヤーク語の vocabulary (語い集) を作っている最中です。どうぞ、さわらないでください。よろしくお願いします」

というと、また、頭をさげておじぎをした。ふき出しそうになったが、こらえて、

「その中村さんとかいうギリヤーク人のおばあさんからは、どうやって教えてもらうのですか?」

と聞くと、かれは、机のかげで見えなかった小さなテープレコーダーのスイッチを入れた。すると、老婦人のしわがれた声が聞こえてきた。

話すスピードが不規則で、あるときはたいへんな早口になり、あるときは考え考えの、物語りらしい話しぶりになった。日本語かとも思えたが、注意して聞くと、全然わからないことばであった。しかし、話し方、抑揚、それに全体的な感じは、日本語にそっくりであった。

オースタリッツさんはスイッチを切って、

「これはギリヤークの民話を、ギリヤーク語で話したのを録音したものです。話が終

ると、同じことを日本語で言ってもらいます」と、仕事の内容をくわしく説明してくれた。

また、

「言語学の仕事には、archæology（考古学）がたいへん有用です。ですから、ここの米村館長の石のコレクションは、たいへん参考になります」と、わたしもすでに幾度か行ったことのある博物館の中へ案内していろいろと説明をしてくれた。

結局、物語の日本語訳の、録音部分を転写するお手伝いをしてあげる約束をして、テープを持って家へ帰ったのは夜ふけであった。

オースタリッツさんは、前の日にわたしと約束した言語学の本のことは忘れてしまっていたらしく、本はもらえなかった。しかし、良い友だちができたことをわたしはうれしく思った。

同じ英語について、英米の発音がどうちがうかを説明するために、かれはタイプライターで単語をいくつか打ってくれた。

hot はアメリカでは［hat］、イギリスでは［hɔt］と発音されるなどのことを、はじめて知ったのはこのときである。同時に、タイプライターを打てるようになろう、としなかった。

決心したのもこのときである。翌日からは毎日のように、放課後、クラブ活動もそこそこに二台しかない学校のタイプライターで練習した。楽しかったが、なかなか進歩しなかった。

全道英弁大会で失敗

全道高校英語弁論大会に出場する、という話が、にわかに具体化してきて、なにか主題を決めなければならなくなった。言いたいことがあるから出場するというわけではなかったため、いろいろ考えなければならなかった。しかし、いちおう題が決まったのは、秋の文化祭のあとであった。その出し物の一つのテーマにヒントを得て「不自由の女神」とした。このタイトルを、"Statue of Unliberty"と、辞書に出ていない単語を使って訳し、テキストも大急ぎで書いた。それを例の「ヤンキー・チーム」のキャプテンに見てもらった。ふしぎなことに、テキストはあちこちとなおされたが、このタイトルだけはそのままになっていた。

結局、練習もそこそこに英語担当の西村先生に連れられて、汽車でまる十二時間も揺られ、札幌の会場に乗り込んだ。控え室に入ると、出場する学生たちはみな神経をたかぶらせて緊張していた。落ち着きはらっていたのはわたしだけで、同伴の西村先生までかたくなって、最後までこまごまとわたしに注意を与えていた。五分そこそこのスピーチ内容を全部暗記していたわたしには、恐れも不安も競争心もなかった。そして、いよいよわたしの番になった。壇上にあがり、一礼した。顔を上げると、急に気圧が増したように感じられた。〔もうあがってしまったのかな?〕と思ったが、ともかく、

"Ladies and Gentlemen, ……"

と呼びかけた。自分の声が遠くに聞こえ、つぎの瞬間、体温が上ってくるのを感じた。出だしのことばが思い出せない。何百人もの目が自分だけに集中し、自分がなにをいおうとしているのか、大きな期待と好奇心をもって待っている。それが圧力となって体に感じられた。わたしは机の上にひろげておいた原稿に目を落とした。ところが、運悪く二枚目が一番上になっている。順序をとりかえて、ともかく捜している最初の節を見つけ、スピーチを始めた。しかし、悲しいことに、暗記したものは口からペラペラと出てきたが、内容を全然把握しないまま進んで行ったため、つまずくとたいへんである。また、とちる。考える。いつのまにかわたしは、汗びっしょりになっていた。ページをめくって捜す。一瞬、目の前が暗くなり、目まいのようなものを感じる。まるで地獄だった。そして、やっと、終った。数時間、壇上に立っていたような気が

した。すぐ網走へ帰りたかった。

そのスピーチの内容は、壇を降りると、きれいさっぱり忘れてしまっていた。いまも、そのとき、どんな話をしたか、これっぽちも記憶していない。また終ってから、どのようにして網走へ帰ったかも、印象も記憶も残っていない。ひょっとしたら、ただの悪夢であったのかも知れない。

いずれにせよ、それからというものは、自分の英語にたいする自信をすっかり失ってしまった。にもかかわらず、学校では依然として英語の成績は一番であったことが腹立たしかった。

学校へ戻っても、

「上には上があるものさ」

などと、英語ぎらいの学生に皮肉をいわれたりした。

これを機会に、全科目にわたって、成績を平均化したほうが、大学受験には有利だ、と考え始め、英語の手綱(たづな)を少しゆるめる決心をしたのであった。

ＡＦＳの試験に合格した

アメリカン・フィールド・サービス

冬も本格的に寒さがきびしくなりだし、あたり一面雪野原になった十二月の初め、学校でわたしは町野校長から呼び出された。

校長室に入ると、校長は机に向かってなにか書き物をしていられた。一礼して歩み寄ると、校長は笑顔で親しく話しかけられた。

「アメリカン・フィールド・サービスという日米高校生交換留学制度についてなにか聞いたことがあるかい？」

わたしは〔またか〕と思った。英語弁論大会でこりていたからである。

「いいえ、ありません」

「一月に札幌で選考試験があるのだが、行って受けてみなさい。まだ少し時間があるから、とくに日本史、日本文化史をよく読んでおくように。はい、それだけ」

またもや、とんでもない話をもち込まれたものと、自分の不運をのろいながら家に帰ると、父がまったく同じ話をした。

「これからは、外国語の一つや二つ知っていることが、社会人の常識になることはまちがいない。これまで勉強してきたことをさらに進展させるには、ほんとは二、三年間、向こうで生活してきたほうがいい。ともかく試験は受けておいで」

と、わたしにとってほとんど無意味な前提を設けて、説得を始めた。「これからの社会」、「社会人」、「社会人の常識」などといわれても、わたしにはぼんやりとわかるだけで、身近な意義は把握できなかった。

　わたしも、たしかにアメリカへは行きたかった。しかし、英語弁論大会での型やぶりの失敗以来、わたしにとって英語は一種の鬼門となっていた。そればかりではない。歴史の科目は、ロマンチックな香りがただよっているだけに、非常に好きな科目ではあった。しかしわたしには、授業・試験という軸上に現われる歴史、とくに日本史は、成績の良いほうではなかった（不得意でも好きな科目は他にもあった。たとえば数学、物理、化学など）。はっきりいえば、勉強不足のため、日本史は不得意な科目であった。自分の各科目の成績うんぬんはともかく、校長と父のいうその試験を受けてみるか否かを、まず決めなければならなかった。

父は、

「試験に落ちたところで何も損をすることはないだろう。ともかく行ってみる決心をしなさい」

と迫った。

わたしは、自分がちゅうちょしているのは、ただ頭から、町野校長や父から、行け行けと迫られていることにたいする反抗によるもので、それ以外なんの理由もないことに気づいた。これ以上、まわりからせき立てられることがなくなるようにと（しかもそれだけの理由で）、行ってみようと決心した。そして校長にも、父にも、その決心の旨を伝えた。

日本史と一日二十五例ずつの英文暗記

試験を受ける以上、できるだけよい成績をとらねばと考え、参考書を探して歩いた。町野校長からは、「日本文化史」と題するぶ厚い本を借りた。英語については、本屋で、佐々木高政「和文英訳の修業」（文建書房）を手に入れた。そのほか本屋の本棚では、「アメリカ留学のために」とかいった類の本が、何冊か目についたが、そういう本は臆病にも避けた。

結局、以前に買ってあった英文法、新たに買ってきた英作文の本、それに町野校長から借りた日本文化史の三冊に集中することにした。

正確には覚えていないが、決心してから札幌で行なわれる第一次選考までにはまだ一カ月の期間があった。第一次試験は英語のテストだけで、最終試験はその二週間後に、東京で行なわれることになっていた。

日本文化史の勉強においても、例の自己流の英語の勉強法を試みた。まず、各章をざっと見てから、つぎに内容的な単位ごとに、すなわち、日本文化史の各時代ごとに特徴を把握できるようにと、本の目次とは別個に、自分自身の整理ノートを作ってみた。しかも内容のちがうものを三種類、それぞれ異なった角度からの観察を主眼としたものを作った。

第一番目のものは、西暦による年号と、日本歴史による年号の対照表であった。

第二番目のテーブルは、日本近辺の各国における主な文化史的出来事、そして近代に至っては西洋における出来事をもふくめて、日本文化史と並列にならべていった。いわば、外国での出来事が日本におよぼした影響およびその逆をテーマとした対照表であった。

第三には、日本文化史の内的発展を特徴的に追って行く形式にした。

佐々木高政「和文……」については、最初の章に、暗記用の文が五百あげられていたが、それを対訳として与えられている和文と照らし合わせながら、暗記することだけにした。

まず、英文の方をふせて、日本文を自分で口頭で英語にしてみる。それから、英語のほうをチェックする。作文には自信があっても、ともかく、その本を、考えることなしにスラスラいえるようになるまで、繰り返し繰り返し練習した。はじめて見るような単語は、全部を通して一つもなかったが、知っていて使えずにいた単語に生命力を与えてくれた点で、この本は、はかりしれないほど役に立った。わたしは毎日、平均して二十五例ぐらいずつ暗記していった。

英文法については、とくに名詞、動詞、形容詞の章だけにしぼり、それまでに無秩序に頭につめ込んでいた知識の整理をした。しかも、二度ほど目を通しただけにとどめ、残りの時間は「和文英訳……」の暗記、「日本文化史」の勉強にあてた。この一連の勉強法は、少なくとも英語に関するかぎり、自分なりに成功し、また軌道に乗って進歩の速度がぐんと増した。しかし、この試験のためとしては、一日平均五時間以上は勉強しなかった。わたしは同時に、英語の教科書の復習をしたり、ラジオで英会話やフランス語、ドイツ語なども聞いていた。

札幌のおじとおばと十年目の再会

「行ってきまーす」

と、一九五四年の十二月、それはまさしく試験の二日前の夕方のこと、事の重大さにもかかわらず、しいて軽い気持でわたしは家を出た。三省堂のコンサイス和英辞典以外、一冊の本も携帯していなかった。とくにそのとき、自信があったわけではない。むしろ、自信はあまりなかった。心でいろいろ作文（すなわち silent talking）をしているうちに、知らない単語にぶつかったときのことを思い、和英辞典だけをもって出たのであった。

網走（正確には呼人（よびと）の駅）から札幌までは、約十二時間の夜旅であった。途中、各駅で乗り降りする乗客と話をしたり、隣の席の大学生のグループのおしゃべりに耳を傾けたりしているうちに眠ってしまった。翌朝目がさめると、汽車は札幌に近づいていた。

札幌に着き、駅のホームに降り立つと、秋の「英弁」のことがふと思い出された。寒く、雪がパラつき、なに一つとしてわたしを励まし、元気づけてくれるものはなかった。

市電に乗って、円山（まるやま）公園の近くに住むおじの家へ向かった。おじは札幌中央郵便局勤務で、あいにく不在だった。一人だけ家にいたおばが、「まあまあ」を連発しながら親切に、お茶を、お菓子を、新聞をと、まめにもてなしてくれた。

「映画でも見に行く？」

と聞かれたが、もっとなにかほかにないのかな、と思いながらも、

「はい」

と答えた。

新聞の映画館案内を見たが、とくにこれというものはなかった。ただ、ジェラール・フィリップ主演のフランス映画「赤と黒」が少し気になった。スタンダールの小説を読んだわけではなかったが、フランス映画はまだ一度も見たことがないからだけのことであった。

「じゃ、『赤と黒』を見る？」

と、あまり気乗りしないようなおばさんに連れられて、映画館の密集する繁華街に出た。映画館に着くと、おばさんは、ウィンドウのスチール写真を一枚一枚眺めながら（もちろん中にはラブシーンなどがあった）、「テルちゃん、ほんとにこの映画見たいの。ほかにもおもしろいのたくさんあるわよ」と逃げ腰になった。

「だって、これは有名な小説を映画化したものですよ。ぜひ見たい」

と主張すると、おばもやむなく承知したのだったが、結局は、満員で入場できず、ほかの映画館に行き、クラーク・ゲーブルとスーザン・ヘイワード主演の「一攫千金を夢見る男」を見た。

そのときの印象では、映画にでてくる中国人の話す英語が、たいへんよく理解できた、と思った。いちばん聞きとりにくかったのは、女優たちの「金属性のうら声」のせりふであった。日本語の字幕に頼りながら物語を追っていったが、もし字幕がなかったなら、全部見終ってはじめて物語の大まかな筋だけやっと把握できたであろう、と思われるほど、わたしのヒヤリング能力は低いものだと知った。少しわかることはまったくつらいことだ、とつくづく考えた。

帰る途中、翌日の試験をすっかり忘れてしまっていることに気がついた。しかし、くよくよ考えたところで、いまさらどうにもならないことであった。

夕方、おじが帰ってきて、話に花が咲いた。おじは父の兄にあたり、がんこな人であった。おじにもおばにも、わたしの一家が広島から疎開者として網走へ行く途中、札幌に一カ月ほど泊まったとき以来、十年ぶりの再会であった。

わたしは、父のいかなる指南のもとに、まずドイツ語を教わり、また英語を勉強したかについて話すと、おじはなにか思いあたるところがあるらしく、にやにやしなが

ら、
「あいつも相変らずだなァ」
とひとり言のようにポツンといった。

札幌のエリートたち

翌朝は、早く起きた。しかしそれは、試験の緊迫感のためではなく、新しい環境にたいする興奮のせいであった。朝食前に近くの円山公園へ出かけてみた。あたり一面、まっ白な雪でおおわれた公園を一人で歩きまわっているうちに、突然試験のことが不安に感じられだした。

急いで帰ってくると、朝ごはんができていた。八時には家を出て、試験場になっている札幌西高校へと急いだ。

九時に始まる試験まで、まだ四十分近く間があった。受験生の控室に入ると、道内から集まったわたしのライバルが、十五人くらいすでに着いていた。秋の英弁大会のときと同じく、両親につき添われてきたもの、先生らしい人に伴われてきたもの、わたしのように一人できたものなどが、あるいは坐って、あるいは立って、みな神経質そうに本を読んだり、ときどき真剣な表情で、ひそひそと話をしていた。

それは寒い朝であった。わたしはすぐ、教室が控え室に早変わりしたこの大きな部屋の隅にある石炭ストーブのところへ歩いて行った。三人の青年が、ストーブの上に手を差し伸ばして暖まりながら、気軽に立ち話していた。そのうちの割合にあかぬけした男が、

「いや、そういう場合は I am well でいいんじゃないか」

と力んでいた。するともう一人の小さいのが、

「I am in good health といった方がいいって聞いたよ」

と、知りあい同士のことばつきで答えていた。そこにわたしが加わると、かれらはそれぞれ自己紹介をした。そして、

「どちらからですか?」

と聞かれた。

「網走からです」

というと、かれらもそれぞれ、

「ぼくは札幌です」

「ぼくもです」

「ぼくは旭川です」

とテキパキいった。

プラグマティズムも知らない

わたしは、かれらがどの程度の英語力をもっているのか知りたかった。そこで、

「いま、なんの話をしていたんですか？」

と聞いてみた。すると、旭川の人が、

「いやあ、『体は健康ですか？』というような質問をされたら、どう答えたらいいか、ということですよ。ところで、お宅は、『アメリカへ行ったらなにをしたいですか？』と聞かれたら、なんと答えますか？」

と逆に質問をしてきた。

わたしは、なんと答えていいのやら見当がつかなかった。

「英語が上手になれるよう、いっしょうけんめい勉強するため」とか、「アメリカをよく見てきたいと思います」など、という答はありふれているし、とくに勉強に行きたいという目標はなにももっていないことに気づいた。

「アメリカ人の生活をよく観察してみたいと思ってるけど、それ以外別にありません」

と、少し押され気味になって答えた。するとかれは、

「ぼかぁ、アメリカへ行ったらプラグマティズムを研究したいな。プラグマティズムは、アメリカの特徴をもっともよく表わしていると思ってるんですよ」

といった。

わたしは「プラグマティズムってなんのことだろう?」と考えた。やはり札幌あたりの学生は進んでいるな、と心中ひそかに落たんした。しかし、「聞くは一時の恥、知らぬは一生の恥」ということを思い出し、勇気をふるって、「そのプラグマティズムってなんのことですか?」

と聞いてみた。

「え? 君知らないの? それはね……」

と、かれが説明しようとしていると、入口が開いて、大きな男の人が入ってきた。そして、

「では、受験生のみなさんは、まず筆記試験がありますから、隣の部屋に移ってください」

と、大きな声でいった。あたりを見ると、いつのまにか受験生の数がだいぶふえていたようであった。

会話テストになると落ち着いた

筆記試験は、和文英訳二題だけであった。一つは、北海道の歴史と地理に関するもの、いま一つは、日本の地理的特徴に関するものであったように記憶している。たいして難問だとは思わなかった。ともかく全部できた。ただ内容には自信がなかった。答案用紙にもう一度目をとおして、あたりを見まわしてみたが、まだ、みんなかなり慎重に書いていた。自分ももっとていねいに書くべきであったのかな、と思っていると、

「はい、時間です」

と試験監督がいった。わたしたちは、再び控え室へ誘導され、

「つぎは面接です。受験番号と名前を読みあげられた人は、わたしと面接室へきてください」

と指示を受けた。そして、最初の人が連れられていった。だんだん控え室で番を待つ人の数が減っていった。

「二十一番の種田輝豊君」

寒い、長い長い廊下だった。

面接の先生は三人だった。その前に坐らされる。母校から送られてきたらしいわたしの成績書にちがいない書類と照らし合わせながら、試験官の一人が、
「種田君は、科目による出来不出来がずい分はげしいね。(そして私のほうを見て)とくに好きな科目はなにがありますか?」と聞いた。わたしは半分どもりながら、
「あのう、英語と歴史と理科系統の学科です」
と答えた。
「アメリカへはなにをしに行きたいですか?」
「どんな趣味をもっていますか?」
など、一連の質問がだされたが、なんと答えたか、くわしくは覚えていない。汗こそかかなかったが、ともかくあがっていたのは確かである。
つぎに、その三人の先生のうちでいちばん若い先生が、英語で、
"How long have you been learning English?"
とニコニコしながら聞いた。
"About four and a half years, sir."
"What would you most like to study in the United States?"
"I would like to see with my own eyes if Americans are really different from us, and, if they are

different, in what way."

ふしぎなことに、この先生と英語で話し始めると、すっかり落ち着いてしまった。ゆっくり考えながら話しても、先生は別にせかす様子もなく、あたかもわたしとペースを合わせてくれているかのように、おつきあいしてくれた。

それから、待合室で、二時間半待たされた。そして、いよいよ発表。わたしはなぜか、すべてを投げだした感じで、ボンヤリ聞いていた。

と、「二十一番の種田輝豊君」という声が耳に入ってきた。結局、この第一次（北海道地域）試験の合格者は六人であった。

目がさめた感じで、網走の両親にさっそく電報を打った。それには「パス」とだけ書いた。

東京の試験場に遠征

東京で行なわれるＡＦＳの最終試験までの二週間、勉強らしい勉強は手につかなかった。

日本文化史は骨子（こっし）だけ要点的につかむことにし、英作文は暗記用の文例を繰り返し練習するだけにした。

そして、東京での試験日の四日前に網走を出たときには複雑な心境であった。自分の英語はまんざらではないらしい。二十数名の中から選ばれた六人の北海道地区予選合格者の一人なのだ。しかし、東京では他の科目についてもテストされる。しかも、全日本からの代表が集まるはずである。一次試験にパスした以上、やはり一種の欲がでてきて、ぜひアメリカへ行ってみたいと思うようになっていた。それだけに試験にたいする恐怖感も大きくなっていた。他の北海道代表は五人（女子三人）とも全部札幌の学生であった。

まず札幌で落ち合って（一九五五年二月）、六人いっしょに上京した。わたしは、前記の「和文英訳の修業」と日本文化史の本、三省堂のコンサイス和英辞典と英和辞典、それに東京の地図をカバンに入れて持っていた。しかし、和英辞典以外、あけることは一度もなかった。

はじめて見る東京は、非常に非人間的なバカでかい町であった。

わたしたちは、虎の門会館に落ち着いた。札幌からの五人は、東京をたいして珍しがるわけでもなく、いなかもののわたしだけが、外へ散歩に行くことばかり考えていた。夕食が終るとすぐ部屋に戻り、街で地図を広げるのはどうもかっこうが悪いと考え、虎ノ門付近の様子を暗記した。

二月の初めであった。東京は、雪こそ積もってはいなかったが、北海道に劣らず寒かった。暗記している地図にしたがい、アメリカ大使館の別館を通り過ぎて、文部省の前に出た。そしてその前の柵に腰をおろして、車の往来を眺めながら、

"So this is Tokyo. I have just arrived in this big city which I see for the first time. How many people and cars and everything! ......"

と、半ば声をだしてひとりごとをいってみた。この光景は、いまもありありと思いだす。そして、翌々日の試験がうまく行くようにと、しんけんに心に念じた。

翌日は一日中ひまだったので、仲間の一人の仲井君と市内見学に出かけることにした。どこへ行ったかはもう覚えていない。しかし、そのとき、外国人が道に迷っているのを見かけ、東京の様子も知らないくせに、

"Might we be of help to you?"

と話しかけたが、英語の通じない外国人であった。あるいは、わたしの英語が通じなかったのかもしれない。その外国人は、ただ会釈(えしゃく)して去っていったことを覚えている。

この散歩のとき撮った写真からして、どうも皇居前広場をぶらぶらしたもののようであった。

噛みつきはしないわ、と彼女はいった

試験場の日比谷（ひびや）高校も、けたはずれに大きな学校であった。まだ空襲の跡がそのままになっていたのか、窓や壁が信じがたい様相を呈していた。

試験場で、わたしはあがりにあがった。大汗のかきつづけであった。まだよく覚えているのは、口頭試験のとき、試験官の中に、アメリカ人の若い女性がいたことだけである。

“This is the first time that I speak with an American lady.”

というと、かの女は、

“Oh? Don’t be afraid, I am not going to bite you.”

といったことは、きのうのことのように思い出される。

しかし、全般的にはかなり自信があった。

他の各科目は常識のテストで、別に問題はなかった。英語については、なぜか、あがっていたにもかかわらず、実力を十二分に発揮できたように思った。

結局合格だった。北海道出身の合格者はわたし一人であった。無意識にもあたり前のことと思っていたらしく、とくに感激はしなかった。ただちに、アメリカに渡るための精神的準備など、かなり現実的な問題に心はすでに移っていた。

網走に帰ると、自分の興奮をはるかに優る興奮が、わが家にも、母校にも待ちうけていた。そして、北海道新聞がそのことを大々的に報じたため、いろいろな便りが道内のあちこちから、毎日何十通単位で届けられた。勉強法についての問い合わせ、交友を求める便りなどで、わたしはできるかぎり時間をさいて返事を出した。

有名になったものの重荷と迷い

わたしは、母校ではいまや絶対的な有名人になってしまっていた。それだけに、とくに先生方からの注目の的になり、よきにつけ悪しきにつけ、個人的な自由が限られるようになった。とりわけクラスルームの西村先生の思いやりは、ありがたく、そして同時に腹立たしく感じられた。

「学校ではいまみんな、君のことを注目しているから、試験に受かったからといって、学校の勉強は決しておろそかにしてはいけない。君の英語がりっぱであることは証明されたのだから、他の科目でも秀でるように努めること。あと一カ月たらずで学年末試験になるが、猛勉強をするように」

といったぐあいにせめられたのである。

父はただ、

「先生のいうとおりだと思う」

と、あまり印象的ではない、無責任とも思える発言をした。しかし、「全科目にわたって八十点をとるよりも、将来性のあると見る科目はいつでも百点がとれるようにしておくほうがよい。他の科目は六十点でも七十点でもよい」という父の考え方を、わたしは見抜いていた。考え方は非常に旧式であったが、教育には自分なりの行き方で力を入れていた父は、とにかく満足そうであった。

自分はほんとうにアメリカへ行くのだ、ということが、実感としてわかったのは、学年末試験が始まる二、三日前のことであった。「アメリカ留学への手引き」とかいう本を、今度は、うしろめたい気持なく買ってきて、こまごまとした注意を読んでみた。そのうちに、これまで自分は、なんと軽々しくアメリカ留学のことを考えていたのかと、ゾッとした。選考試験に受かったからといって、なにも自分の英語がどこへ行っても大丈夫と太鼓判を押されたわけではない。さらに、理想からいえば、アメリカへ行っても、日本で学校において、家庭において、日本語で話す程度の会話力が要求されており、しかも、アメリカ生活の観察の深さも、語学力に比例するのだ、と考えた。とにかく、英語を中心に、渡米準備を進めなければならないハメになったのである。

夢はすでにアメリカにとぶ

学年末試験は、西村先生がいみじくも恐れていた結果に終った。国語の試験では、西村先生が試験監督の番となり、わたしの机のまわりばかりうろつかれ、なにも書くことができずに時間をもてあましていると、小声で、

「おい、やってきたか？」

と責められた。つらかった。

英語をいっしょうけんめい勉強したおかげで、八月のアメリカ留学というほうびが約束されたものの、英語に不つりあいな力を入れすぎた結果、他の科目が犠牲になっていたことが残念であった。これほどのアンバランスをもたらすことなくしても、AFSの試験には合格できたであろうに、と考えると、試験場から飛びでて国語、数学など、なんでも手あたり次第勉強したい、と心から思った。

九十点以上の点数がとれた科目は、英語だけで、最低五十点以下のものもいくつかあった。結局、おなさけ点で二年に進学させてもらえたのだ、といまでも思っている。

これを機会に、さらに大きな決心をした。いまさら全科目の成績を上げるより、アメリカでの生活をより充実したものにするには、英語ができるだけらくになることが

たいせつと考え、それにしたがって勉強をすることにした。

参考書としては、つづけて佐々木高政「和文英訳の修業」（したがって会話における表現力）を主軸として、作文力の上達をねらった。暗記用の五百の文例は、すべて習得し、日本語の部分を見てすぐ英語がでてくるようになっていたうえ、それらの暗記した文が、常時、混乱したエコーのように頭の中で聞こえるようになった。

さらに進んで、自分なりに「応用編」に入った。これはかなり程度の高いものであった。過去の大学入試からとった和文英訳問題集のようなものであったが、注も解答もついていたので、初めはともかく、暗記に頼ることにした。

そのほか、研究社の対訳双書の「学生のためのアメリカ史」を徹底的に読みこんだ。アメリカ史の全展望が簡約に紹介されており、わたしにとっては絶好の読み物であった。英語をとおして内容をくみとる、読書らしい読書はこれがはじめてであった。しかし、全般的に勉強には力が入らず、アメリカ旅行の夢がふくらみ、待ちどおしい、長い長い夏であった。

しかし、ラジオで聞ける英語、フランス語、ドイツ語などの語学講座には、すべて毎日欠かさず耳を傾けた。

夏休みも半ばすぎた一九五五年八月のはじめ、友だちに励まされながら、一部始終、いろいろとお世話になった町野校長と父に連れられて、網走を出発した。

アメリカの一年で得たもの

アメリカへ向けての船出

一九五五年八月十三日。

いよいよ出発の日になると、胸が高鳴り、落ち着きがなくなり、英語をすっかり忘れてしまったような気がした。しかもその前日、町野校長先生から買ってもらった青い背広を生まれてはじめて着てみながら、自分がなぜこんなに興奮しているのか、理解にくるしむほどいらいらしていた。

虎ノ門から横浜まで、町野校長と父につきそわれ、タクシーで行った。それは、八月の暑い日であった。タクシー代が千二百円だったことを、奇妙にはっきり記憶している。乗船する氷川丸(ひかわまる)のデッキでは、銅羅(どら)が打ちならされ、汽笛の音は太く、重々しく港の隅々にこだました。デッキから見ると、見送りの人たちはテープを投げかけにぎやかに歌っているが、見送られるわたしは、なにかもの哀しい感じであった。

船が岸壁をはなれ、針路を進みはじめると、見送りの人々はしだいに遠くなっていった。わたしは船室に入ってみたが、ひどくむし暑かったので応接室に行ってみた。レコードプレーヤー、ラジオ、新聞などがあった。しかし、そこでも落ち着けなかった。それでまたデッキに出てみた。

仲間のなん人かが、すでにアメリカ人の家族をかこんで話をしていた。しばらく立ち聞きしていると、日本で五年間、宣教師として活躍したのち、アメリカへ帰る人たちであった。はじめは英語で話していたが、いつのまにか日本語になっていた。あたりを見まわすと、船客は日本人よりも外国人のほうが多いように見えた。

氷川丸船中の思い出

それからは、毎日のようにデッキの上に坐って、あるいは横になって、外国人と日本人とを問わず、おしゃべりに花を咲かせて時間を過ごすことが多くなっていった。船旅は全部で二週間であったが、最初の一週間は非常にむし暑い夏の昼夜がつづいた。そんなときは、食事以外はいつもデッキに出て、英語の練習をした。

船が北上し始め、アリューシャン列島の南側にそって進むうちに、急に、寒い、雨の降る日々がつづくようになった。船内にとじこもることを余儀なくされたわたししたちは、応接室に、にぎやかなおしゃべりをもちこんだ。

船長のとり計らいだったのではないかと思われるが、洋食になれていない人たちのために、「西洋テーブルマナー講座」が開かれた。

太平洋横断も、残るところ三日になるころから、だんだん暖かくなってきた。わたしばかりでなく、一行二十八人にとっても、刻一刻と、夢にまで見たアメリカに接近しつつあることは、言いようのないよろこびであった。いつのまにか、仲間同士で英語を話すこともしだいに多くなっていた。また、ときにはそれが当然とすら考えられた。

シアトルに着く二日前の朝、応接間のラジオでは、アメリカ本土からの放送を聞くことができた。それは、日本でよく聞いていたFENとはくらべものにならないほど、アカぬけしているように思えた。

二週間の太平洋横断を無事に終えて、氷川丸がシアトル港にいかりをおろしたのは、夕方の七時ころであった。その晩は、船に泊まり、翌日の朝、上陸ということであった。

わたしは、その晩は仲間二、三人とデッキに立って、シアトルの圧倒されるようなみごとな夜景を眺めながら、最後の夕涼みを楽しんだ。

「盗み聞き」した会話が理解できない

つぎの朝は、早くから入国手続きが始められた。はしけの船着き場には、地元のAFS支部の人々が迎えにきていた。一同バスに案内され、AFS留学生歓迎ガーデンパーティに出席した。非常にくつろいだレセプションで、だれの挨拶云々といった形式ばったものはなく、食べたり飲んだりの間に、シアトルのAFS関係の人々や、その家族の人たちと混じり合って談笑した。パーティのなかばに、声の大きな紳士が、隅の台の上にあがっていった。

"May I have your attention……"

スピーカーから流れて来る声は、まわりにエコーしてほとんど聞きとれなかったが、はじめから、アメリカ人なみに理解できることはあきらめていた。このことを友だちにいうと、かれは、

「そういうふうに競争心をもたなくなると進歩しないよ。なにも、アメリカへ賭けをしにきたんでもないだろうに」

といった。

確かにそのとおりであった。しかし、競争を通じて進歩するというゆき方は、まち

がった勉強法だ、と父から洗脳されていたわたしは、いわゆる「マイ・ペース」方式でゆく勉強法を変えようとはしなかった。その後も変えたことはない。

自分の英語の実力についての自信は、上陸するやほとんどゼロになっていた。しかし、他の連中は、けっこう以前と同様にたのしく、自信をもちつづけていた。わたくしが自信を喪失したのは、実際に経験した会話のむずかしさよりも、むしろ、「盗み聞き」した会話が、聞きとれなかったことに原因があった。われわれと面と向かって話すアメリカ人は、わかりやすいように話してくれた。しかし、わたくしはそれが、がまんできなかった。プライドのせいであったのか。

生まれてはじめての飛行機に乗って、シアトルからニューヨークへ向けて出発したのは、日の暮れ方であった。途中、ミネアポリスでAFSグループのいくたりかが降りて、近辺の州に散らばっていった。

ニックネームは〝テリー〟

翌朝早く、ニューヨークのラガーディア空港に着いた。それから、バスでマンハッタンのAFS本部に行った。

古都風のマンハッタンは、「新世界」のイメージとは、およそ異なったものであった。興奮もさめやらぬまま、ＡＦＳビルの中をあちこち案内されているうち、わたしのお世話になるジェラード（Gerard）さん一家が迎えにきてくれた。

GIFT FROM JAPAN. Terry Taneda, left, exchange student from Japan, presents book to County Executive Patterson. The book is a gift to Patterson from the mayor of Abashiri, Terry's home town. At right is Manhasset High teacher Burt S. Gerard, with whom Terry will live while studying here.

網走市長からの本の贈呈を報じる地元紙の写真。一番左が著者。下部の説明に“Terry Taneda”と名前が書かれている

「どうぞよろしくお願いします」

といいたかったが、

“How do you do?”

といってしまった。だから、「どうぞよろしくお願いします」という気持は伝わらなかったのではないか、と不安になり、

“I am very glad I am going to stay with you, Mr. Gerard.”

といった。すると、

“It is a pleasure for us to have you with us, Terutoyo.”

といって、にっこり笑った。そして、きみにはニックネームがあるかと聞かれた。

“A nickname? I have none.”

と答えると、

"How about 'Teru', instead of 'Terutoyo'? Or, maybe, 'Terry'?"

といったぐあいになり、アメリカでの一年は、「テリー」というニックネームでゆくことになった。

駐車場に着くと、車の中にジェラード夫人、それに小さな男の児が三人待っていた。そして、

"Terry, this is my wife, Francine."

とまず奥さんを紹介され、ついで、それぞれ七歳、五歳、三歳の、一見いたずら盛りらしい男の児を紹介された。わたしはその一人一人と握手した。ジェラード氏は、

"Don't call me Mr. Gerard; call me just Burt."

といって、車をスタートさせた。

わたしは車の中で、これから一年間、自分はどんな苦労をして英語が上手になっていくのだろうか、とひそかに期待をふくらませた。ニューヨークの中心部をでて、ロング・アイランドの郊外へと向かう車は、速く、快適であった。

ジェラード家と学校

着いたジェラード家は、中くらいの大きさの家で、寝室が三つ、広間、それに大きな緑の庭があった。家も、ポート・ワシントン（ニューヨーク州）と呼ばれるこの町も、概して新開地につくられた「新世界」といった感じであった。

その夜、わたしは日記に書いた。

"Sept. 3, 1955. Very hot. My first day with the Gerards. Nice people, I think. Only they talk too much at dinner table. I hardly understand anything of what they are talking about. A most embarrassing experience: in the evening, the little children, all of them, come up to me, one by one to kiss me all over: on my nose, on my ears, saying, 'Good night, Terry!'"

ジェラード家へ着いた翌朝から、わたしは学校（Paul D. Schreiber Senior High School）へ行かなければならなかった。その日は、親切なジェラード夫人が、車で連れて行ってくれた。広々とした校庭には、車がなん百台単位で止めてあった。校庭の入口から学校の建物まで歩いたら、十分はらくにかかりそうであった。極度に実用的なふだん着を着た学生たちが、本を五、六冊ずつうでにかかえて、三々五々、ガムをかみながら登校中であった。

校舎に入ると、学生たちはジロジロ珍しげにわたしを見つめた。あまり見なれぬそんな目つきを無視して、わたしは教務課に出向いた。そこで短い話をした結果、二年に編入されることになったわたしに、つぎのような時間割が与えられた。

月曜から金曜まで、毎日同じ科目を同じ時間に勉強するのである。一時限は四十五分で、昼食時間も一時限と考えられる。

昼食は大きなカフェテリアで、いわゆる「セルフサービス」式の食事であった。

アメリカ留学で学んだ学科

各科目のうち、もっともこたえたのは、英語と歴史（アメリカ史）の二科目であった。

「英語」では、学生が順番に一ページくらいずつ朗読し、五、六人が読み終ったところで、その内容の考察をする。第一に、読み方が速く、内容はチンプンカンであった。ついていけない悲しさは、なんともいえなかった。

また、「アメリカ史」に至っては、日本を出る前にもっていた程度の浅い事実の把握では、とうていまにあわなかった。この学校では、勉強のアタックのしかたは、まず抽象的理論に重点をおいているようであった。それが英語で、しかも英語だけで行

Day of week ＼ Period	1	2	3	4	5	6	7	8
Monday	English	History	Math	Free	Lunch	Art	French	Typing
Tuesday	〃	〃	〃	〃	〃	〃	〃	〃
Wednesday	〃	〃	〃	〃	〃	Gym	〃	〃
Thursday	〃	〃	〃	〃	〃	Art	〃	〃
Friday	〃	〃	〃	〃	〃	Gym	〃	〃

1週間の時間割

なわれていたのである。

他の科目は、割合にたのしく、また、らくであった。数学では、一次方程式をやっていた。$y=ax+b$ の応用問題が、少なくとも五十〜六十あり、一問一答形式で取り組んでいた。ふしぎなことに、これらの応用問題は、わたしの英語の勉強に格好のものであった。

その他、英会話の練習に役立ったものとして、「美術」があった。課題が与えられ、十分くらいですますと、残りの時間は全部、教室中がガヤガヤのおしゃべりになる。先生もそのうちの一人であった。

「フランス語」の時間は、とくにおもしろかった。そのころすでに、フランス語もかなり読み書きできるようになっていたわたしは、クラスでは一番であった。要するに、ほかの学生たちは、「英語」におけるわたしと同じように、「フランス語」で苦労、少なくとも努力していたのである。ことばが自由に使えないアメリカへきても、フランス語のほうは自信がついた（かといって、フランスへそのまま直行したら、話は別であろうけれど）。

こうした第一印象は、三カ月半後のクリスマス休暇のころになると、かなり変化してきた。

英語については、ヒヤリングがグンと上達していた。すくなくとも、読んでわかる範囲内のことばなら、もれなく聞き分けと聞き取りができるようになっていた。読解力もかなり速くなっていたが、知らない単語は無視するくせができてしまい、これは改めるべきだと気づくまで、まだ二、三カ月かかった。

「歴史」については、いっこうにうだつがあがらなかった。その一つの理由は、家で復習予習をしたことが、一度もなかったためであろうか。

Loom of Language のとりこ

アメリカへ来たのは、勉強のためではなく、むしろ見るためである、と信じていたわたしは、あちこちを活動的に動きまわった。そして家で読む本は、いつとはなしに、フランス語、スペイン語などの語学書、それに学校の図書室から借りだしてきたBodmer “Loom of Language” などにしぼられていた。また、ラジオのダイヤルをまわすと、どこかで必ず、英語以外の放送をしていた。それはわたしには、大きなよろこびであった。そして、子どもたちの話も。

いつのまにか、わたくしの机の上には、スペイン語、イタリア語、ドイツ語、フランス語の文法書、読み物などしか見えなくなってしまっていた。学校から帰ってくると、とくに勉強らしい勉強のためではなく、ただページをあちらこちらあけては、語学の林にふみいり、そのロマンスにひたっていたことが、やがてジェラード氏に発覚されるに至り、説教をうけるハメになった。高校の歴史と英語の教師であるかれは、ナセル大統領によく似ていた。

"Now, look, you haven't come to the States to learn Italian and all these languages. And, Terry, you are supposed to be much better at English by now!"

わたしは、

"Yes, I understand, but I was thinking I might come to a better understanding of English through the study of some other languages like French or Spanish."

と反ばくを試みたが、ジェラード氏は、

"Nonsense!"

と叫んで去って行った。

皮肉なことに、わたしがアメリカで学んだ英語の読解力の大部分は、学校で使っていたアメリカ趣味いっぱいの英語の教科書からではなく、必ずしもアメリカにいなくても読むことができた前述の Bodmer "Loom of Language" からであった。この本は、どのページをめくっても、たのしい読み物で満ち満ちていた。その本の内容にも大きな関心をもっていたわたしは、わからない単語は、辞書を引き引き、たんねんに読んだ。だいたい目をとおし終ったころには、すでに英語、フランス語、スペイン語、イタリア語だけではなく、ドイツ語、オランダ語、スカンジナビア語についても、かなり見とおしのよい鳥瞰図的理解をもつことができた、という自信があった。もちろんこれらは、どういう位置にあることばであるかがわかっただけであるが、これがあとになって、各国語をマスターするうえでおおいに役に立った。

人工のアメリカ人になっていた

翌年の春ころまでには、学校ではフランス語だけが抜群になり、とうとう特別の許可を得て、三年のフランス語のクラスに再編入させてもらった。ここでもやはり優等生でとおった。

にが手の「歴史」は、終始一貫にが手の科目として、重荷のままであった。しかし、「英語」のクラスでは、とくに文法、作文などでは上位に進出していた。その他の科目は、授業とは考えず、ただたのしむために出席しているだけで、またそれが許されているような感じであった。

ただ、体育だけはそうはいかず、日本にいたときと同様、たいていは落第すれすれの線をたどった。

そこにいる間に、日本語を話す機会は一度もなかった。わたしが住んでいたポート・ワシントンには、なん人か日本人もいると聞いたが、とくに探して訪ねて行きたいとも思わず、英語を話しながらアメリカ流の生活をすることに、なんらの抵抗も感じられなくなっていた。そして、いつのまにか、自分の中に、人工のアメリカ人ができあがっていることに、ぜんぜん気がついていなかった。

たまにプエルトリコ、イタリア、ドイツ、北欧（とくにラトビア、リトアニア）などからの移民に接するときは、「ようこそアメリカへ」という気持をもって、多分に先輩ぶって、いたわったりさえした。そして、これらの移民の家庭にもよく出入りした。たどたどしい英語で、かれらが語る本国の話は、なによりもわたしには興味ぶかいものであった。かれらは一人残らず、自分の国はアメリカとはぜんぜん違い、もっともっとすてきであることを強調した。

啄木（たくぼく）は、ふるさとのなまりを求めて上野駅へ行ったが、わたしは未知の声を聞きに、

筆者が未知のことばを聞きに訪れたエンパイアステート・ビル

しばしばマンハッタンのエンパイアステート・ビルの展望台をぶらついた。そこは、インド人、日本人、中国人、スペイン語を話すおのぼりさん、その他なにがなにやら見当のつかないことばを話す人々でいっぱいであった。日本人はカメラをぶらさげ、

「ヘェー」

「きれいだなァ」

「ああ、あれが国連本部じゃないか」

とおとなしい声で話している。わたしはそっとそばに立って、立ち聞きをした。

すこしはなれたところでは、

"Che bello! Che bello!"

と感嘆するイタリア人のグループ。また別のところでは、地図をひろげる北欧系のおばあさん。まことに、「人種のるつぼ」と

いうのはここのことだ、と思い、ことばにたいする自分の情熱を確かめては家へ帰るのであった。

集まったものは散って行った

いつのまにか六月にはいり、わたしの一年間の留学生活も、あと幾日かで終ろうとしていた。そのころになっても、わたしには、アメリカが英語国だとは、なぜか信じられなかった。一方的に、アメリカとは、「世界中のいろいろなことばが公用語として用いられる、実験室のような国だ」と感じとっていた。

わたしの異常なほどの「外国語気狂い」ぶりは、学校でもすでによく知られていた。終業式のときに、わたしは学校からのプレゼントとして、西ヨーロッパのことばならほとんど何語でも打てるポータブル・タイプライター（アドラー）をもらった（わたしは、一九五六年にいただいたそのタイプライターを、いまだに用いている）。

世界の隅々から招かれ、アメリカの各地で一年を過ごしたAFS生たちは、六月の末にニューヨークのシラキュースに集まり、そこから約一カ月の予定で、グレイハウンド大陸横断バスで旅行に出た。各バスには、三十三人ずつ乗り、二人ずつの引率者がついていた。

自分はアメリカを見にきたのだ、と考えていたわたしは、バスに乗って狂喜した。三十三人の学生は、二十一カ国からきていた。わたしは、かたっぱしから積極的に友だちになっていった。トルコ人、フィンランド人、ポルトガル人などは、以前に見たこともない民族であった。

バスは、ニューヨークから南下してテネシー州に入り、再び北上してニューヨークにいったん戻り、ヨーロッパへ帰る人々を降ろした。その間各都市で平均三泊くらいずつ民宿しながら、アメリカの数多くの顔を見て歩いた。

約一カ月の旅行であったが、この間、わたしは十五、六カ国語で、「こんにちは」、「さようなら」といった断片的な表現を覚えた。こういう断片的な知識が、後になってどんなに役立つものであるか、ということをつゆ知らぬまま。

ニューヨーク港で、ヨーロッパ方面に向けて帰る友だちに別れを告げたあと、日本人学生と、ニュージーランドおよびオーストラリアの学生は、なん台かのグレイハウンドバスに分乗して、西部に向けて出発した。そのときは、ヨーロッパの学生と別れた寂しさと、日本人の仲間に再会したうれしさとで、複雑な気持であった。

途中セントルイスをとおり、グランド・キャニヨンに寄り、南まわりでカリフォルニア州にはいった。サン・フランシスコとロス・アンゼルスで、それぞれ二晩ずつ泊まり、一年前に上陸した記憶もなまなましいシアトルに着いたのは、八月二日であった。

そして翌三日、来たときと同じ氷川丸に乗船して、横浜に向け二週間の帰路についた。

一年前、「アメリカの夢」を運んでくれた氷川丸は、いま、「アメリカの思い出」を運んで日本へ向かうのである。

アメリカ大陸が遠ざかってゆくのを見ていると、映画のエンドマークを見ているのと同じような気持になったものである。

大学も大使館も喫茶店も学習所

復校して大学受験に

わたしがアメリカ留学中、むこうの学校でとった単位は、日本の学校では無効であった。だからわたしは、母校である北海道の網走南ヶ丘高校に復校して、二年生の二学期からまた授業をうけなければならなかった。

授業に出てわかったことは、国語、数学、理科系など一連の学科目において、他の同級生にくらべ、たいへんおくれてしまっている、ということであった。

高校卒業後の大学受験について、意識的に考えたことはなかった。だから、とくに、学科のおくれをとり戻そうと努力する気にもならなかった。そんなふうで、もう半年後に卒業というころになっても、まだ、どこの大学に進学するかもはっきりさせていなかった。

しかし、外国語学習の意欲は、以前同様十分にもっていた。そしてもっぱら、アメリカで始めたドイツ語やスウェーデン語などの、ことばの「鑑賞」にふけっていた。それにそのころは、尾崎義「フィンランド語四週間」（大学書林）にも目をとおしていた。

三年の二学期が始まってから、

「自分の得意とする勉強をつづけるには、どの大学がいちばんいいでしょうか？」

とわたしはホームルームの田端先生にたずねてみた。

先生は、わたくしの成績表を見ながら、

「東京外国語大学などは、受験科目が少ないからいいんじゃないか」

といわれた。わたしはさっそく入試問題集を探してきて、過去何年かの試験問題を調べてみた。英語と化学はまあまあ、世界史はひょっとしたら、という程度であった。英語を「まあまあ」のはんちゅうに入れたのは、英語のテストも、答案用紙の上では国語の実力もあわせて問題になってくるからである。というのは、国語はまず望みがなかったからである。わたしは、望みなし、と観念はしたものの、そうもしていられず、ともかく本格的に受験勉強を始めたのは、十一月ごろであったろうか。

問題集を中心にやってみたが、ぬかに釘で、納得しないまま、答えをだす技術にばかりなれていった。

月日は容赦なく過ぎ、試験日はついに到来した。わたしはケセラセラの気持で上京した。結果は当然だめであった。

そこでわたしは考えた。——将来のために、どこかすぐれた言語学科のある大学へ行こうか、と。しかしそれには組織だった勉強が絶対必要であった。しかし、わたしには網走の自宅で、自習するよりほかの可能性はなかった。そこで、やはり来年も東外大でゆこう、と単純に決めた。

結局、翌年の受験の二カ月前まで、わたしは自分勝手な、気ままな勉強をしていた。そのころまでに、なん回も同じところをくり返す「うるし塗り」式によって、かなり完成度の高いところまで行っていたのは、英語のほか、イタリア語、スペイン語、フランス語、ドイツ語、スウェーデン語、フィンランド語などであった。アメリカで知りあったAFSの学生の何人かとは、これらのことばで文通をつづけていた。

父はいつも、

「少なくとも一つのことには絶対に強くなりなさい」

といっていた。しかし、わたしはなにに強くなったらいいのかわからなかった。

ともかく、一九五九年の春、わたしは東外大の英米科を受けるために再上京した。そして合格した。

イタリア語がとりもった縁

東京外語大に入学はしたものの、非常に残念なことに、わたしはなにに興味の中心をゆだねてよいのか、ぜんぜんわからなかった。

英米文学、英文法、英作文、英会話、その他の一般教養科目のどの授業にでても、ほとんど情熱をもてる刺激を与えてくれる科目はなかった。わたしは、すぐれた先生に教わりながらこういうぜいたくを感じる自分を極度に憎んだ。

入学してまだまもないある日、時間があったので、わたしはイタリア語科の二年の「会話」の授業にこっそり顔をだしてみた。先生はまだ若い体の大きなイタリア人で、問答形式の自由会話をやっていた。そのレベルは、自分にはちょっとやさしすぎるように思えた。

しかし、その先生は標準語とはちがう強いアクセントをもっていた。どこの出身だろう、と思えば思うほど好奇心が強くなった。

授業が終り、廊下にでると、先生は窓からなにか眺めていた。わたしはそのそばに行って、

“Scusi, signore, da quale città viene Lei?”

（失礼ですけれど、ご出身はどちらですか？）

と聞いてみた。かれは、ミラノだと答えた。ほんの立ち話のつもりが、込みいった話に発展しそうであり、しかも内容がおもしろそうなので、英語で話をしてくれるようにお願いした。するとかれは、いま日本の禅の研究にきていること、イタリア語の主任教授が用事でイタリアに帰っている間、その代わりに臨時に教えていることなどを説明してくれた。つづけて、

「イタリア大使館でアルバイト学生を求めています。行ってみませんか？」

といった。わたくしは無条件で、

「はい、ぜひ」

と答えた。そのブロッキェーリ氏は、

「それでは明日お連れします」

と約束してくれた。

ブロッキェーリ氏に伴なわれてイタリア大使館に着くと、直接、大使の部屋にとおされた。大使という称号をもつ人に会うのは、わたしははじめてであった。大使はあいそよく二、三の質問をしたあと、

「では、くわしい話は、こちらのウィドマル博士と決めてください」

とウィドマル博士に紹介された。

ウィドマル博士は、その大使館の報道秘書官であった。別の部屋にとおされて、テストを受けることになった。朝日新聞の朝刊の一面の政治記事を英語に訳せ、というのである。

結局、合格となり、翌日から毎朝六時半から八時まできてほしいといわれた。ということは、わたしの住居からの距離を計算すると、毎朝五時に起きなければならないことになる。しかし、わたしは仕事をひきうけた。

イタリア大使館勤務と外国語

朝アルバイトして、それから登校というその生活は、一年あまりつづいた。やがてしだいに、勉強を犠牲にして、大使館の仕事をするということが多くなっていった。それと同時に、責任のある仕事も与えられるようになり、各国大使館の間の横の連絡に関係する機会を増していった。

「正館員として働け」というさそいも幾度かあったが、とうとう一九六一年の暮れに、学校のほうはいちおう「休学」ということにして、大使館に本勤務することにした。それによって、数々の可能性がいっそう手近になった。各大使館の職員への接近、または、イタリア留学などが考えられた。

東京外語大を休学したまま、結局、イタリア大使館へは、その後二年間勤めつづけた。最初のうちは英語で仕事をしていたが、二年後には、すっかりイタリア語に切り換えていた。

また、各大使館の職員との接触が刺激になって、その間に、ペルシャ語、トルコ語、オランダ語、朝鮮語、デンマーク語、ノルウェー語などの勉強にも手をつけていた。アイスランド語も、北欧語の研究の一環として取りくんでいた。そのころちょうど、新聞に「北欧五カ国の美女訪日」という記事がでた。

わたしはさっそくホテルを確かめ、ミス・アイスランドに電話して、アイスランド語の朗読をたのんでみた。かの女は、快くそれに応じてくれた。わたしは、当時の重いテープレコーダーをかついで、ホテル・ニュージャパンにかけつけた。コードを長々とロビーにはわせ、目立つ民族衣裳のミス・アイスランドにテキストを読ませることは、相当に勇気のいることであった。

わたしは大使館勤務をやめてから、東京外語大のほうもずるずるとあきらめてしまった。そして、サラリーマンでなく、学生でもなく、他のなにものでもない自由の身――はっきりいうとルンペン、またはフーテンのはしりになった。

新宿の喫茶店にきた外人たち

自分の自由になる時間が豊かになったわたしは、自分の好みにまかせて、海外からやってくる同類と交際することが多くなった。そして、フランス、イタリア、スペイン、スウェーデン、デンマーク、フィンランド、チュニジア、イギリス、ドイツ、オランダ……などの人々、多くは一見フーテン族ふうの、「エリート・インテリ」と知りあいになった。

かれらは、政治・文化・芸術などについて、非常におもしろい考え方をもっている連中であった。

かれらやわたしのたまり場は、新宿のある喫茶店であった。毎日、夕方六時ころになると、ポツポツと顔がそろう。そして、三時間から四時間そこに坐りっきりで、めいめいに、もっともらしくなくつろぎかたで、時間を過ごした。あるものは、ぶっとおしにおしゃべりをつづけ、あるものは、ただ聞きいっているだけ。残りのものは本を読むか、ガールハントをしていた。

春になると、世界各国から新着のヒッチハイカーが、東京をめがけて波のようにおし寄せてくる。ヨーロッパからアジアに通じる、かつてのシルクロードはいまも健在らしく、トルコ、アフガニスタン、パキスタン、インド、タイ、香港などを経て、最終駅の日本に着くらしい。途中、ここかしこに似たようなたまり場があるらしく、男女ともジーパンにサンダルばきのかれらは、類は友を呼ぶというとおり、すぐに連帯意識をもち、一瞬にして友だちになって、日本へくる。そういうかれらは、驚くべき正確な情報をもっている。それは、日本から出た連中と行きかうたびに、どこでもたがいに情報を交換しあうからであろう。だから横浜に着くかれらは、なんという、どんな喫茶店が、どこにある——ということをすでに知っているのである。

ある日、いつもの喫茶店に行って席に着いたところ、あたりを見まわしながら、わたしを見つめている見知らぬひげ男と目があった。わたしも当時、その男に劣らず、ひげはのび放題にしていた。やがて、その男は立って、わたしのテーブルにきて、フランス語で、

「失礼ですが、あなたはタネダさんではありませんか?」

とたずねた。

わたしが、そうだ、と答えると、かれは、

「ラングーンでユージーンというあなたのお友だちに会いました。トウキョウへ行ったら、ぜひここへきて、あなたに会うようすすめてくれました。かれが描写していた

ひげの人は、あなたにちがいないと、直感的にわかりました」といってから、にこやかに自己紹介をし、それから隅の方にポカンと坐っていた男女四、五人を呼び寄せ、一人一人紹介した。

フーテン喫茶での夢ものがたり

こういう場合は、わたしには仕事が与えられることを意味している。その仕事は、かれらのためにユースホステルをさがしてやることである。

当時、東京にはまだ、外国でいうユースホステルに相当するものはほとんどなかった。あったとしても、条件づきで、しかも日本人でいつも満員である。どうもこうもしようがなく、一泊百円のベッドハウスに連れて行ったこともしばしばあった。

新宿のその喫茶店でするかれらとの話の内容は、ほとんどが夢のようなことか、それでなかったらひどく抽象的なことであった。たとえば、どこかに小さな島を買い、エスペラント語を常用語にする新しい王国をつくる夢だとか、死後の世界、死後の生命の形態の可能性といったようなものである。

わたし自身、かねてから関心をもっていた問題について語られることが多く、そこにいる間、時間のたつのも忘れてわたしもかれらの話に参加した。

そこで使われたことばは、英語、フランス語のほか、ドイツ語、スペイン語、イタリア語などであった。また、かれらのうち、日本に一年もいる連中（おおかた学生であったが）には、日本語でも十分に用がたりた。

この、いわばわたしのフーテン期こそ、わたしにとっては、それまで会得した外国語の知識のテストと地固めの期間として、たいそう有意義なものであった。

わたし独特の実地的学習法

少し固くるしくなるが、その間にわたしが得た学習理論を二、三お話ししてみよう。たとえば、外国人から直接に聞いた表現法で、（なるほど、こんな言い方をするのか）と感心するものがあったときは、すぐに頭の中で繰り返し、できるだけ早い機会にそれを自分でも使ってみること。これは、本を読んでいて、アンダーラインを引くところに相当するそれを、頭の中にいれ、会話によって実地に自ら繰り返し使ってみるわけである。これは、習慣にしてしまうと、それほど骨の折れることではなくなる。この方法によって、一時間の会話から得られる成果は、かなり高いものである。

しかし、表現法にばかり気をとられていて、話の内容や筋について行けないようではいけない。ことばというものは、関連した前後関係の中にあって、はじめて生きてくるのである。学習者は、それをとらえるのを目的とし、同時によろこびとしなければならない、とわたしは考えている。

つぎに、この時期に、わたしは意識的に、できるだけやさしい内容の本を探して読みあさった。たとえば、フランス語のマンガ本（とくに子ども用のもの）、英字新聞の短い記事（たとえば社会面記事のようなもの）、日本の中学校で使われている英語の教科書、またその副読本の類……など。これらのものは、やさしく書かれているから、完全に理解できるはずであった。しかし、そう簡単にはゆかなかった。

もっともしばしば出くわして悩んだのは、単語も文法も問題なく全部わかるのに、内容的になにをいっているのか、どうしてもはっきりしない場合であった。

ある日、長いあいだ外国に滞在していて、日本に帰ってきたばかりの日本人と話をしていた。そのときかれは突然、わたしの話を中断した。そして、

「不可能だよ」

といった。

わたしはすぐ、かれがなにをいうために、この「不可能」ということばを使ったのかピンときた。これはかれが頭の中で考えた"That's impossible"の直訳なのである。日本で、日本語で生活しつづけている人なら、さしずめ、

「そんなことは、ぼくの気持としてできないよ、だって……」

というところだったのである。

"impossible"について、物理的に「不可能」という意味だけを知っていて、精神的な意味での「たまらない、がまんができない」という意味に注意を払わなければ片手落ちである。

似たような例は、やさしい読み物には、ふんだんに出てくる。

要するに、それぞれのことばには、各固有の理論や感覚があり、文法書と辞書から得られるものプラス・アルファによって、はじめて健全な知識が得られるものであることに気づいたのも、このフーテン期であった。

職業放浪の果てに

わたしは「神の名の町」の主役

一九六四年の春、わたしは、前述の新宿のたまり場にしていた喫茶店で、映画をつくりにきたというアメリカ人のグループと知り合った。その中心にいたのは、ラチーフ・キールという詩人で、セミ・ドキュメントの「神の名の町」と題する映画をつくりたいというのである。わたしは初め、かれらの仲間の通訳をしてやっていた。そのうち、その映画つくりの話は急テンポで具体化し、わたしがその主役の神学生をやらされるはめになった。そう決まって、翌六五年の一月、かれらといっしょに、ロケのために香港まで行った。それからマカオへ南下し、八カ月あまりかけて上映十時間あまりかかる尺数の白黒フィルムを撮影した。モンタージュして完成されたあかつきには、上映二時間余の長編ものになる予定である。その映画では、現地の広東(カントン)語、ポルトガル語のほか、英語、ラテン語、日本語も使われている。それで、わたしは出演者たちの通訳もひきうけたのであった。

わたしは、古い歴史をもつポルトガル領マカオでは、毎日聞くポルトガル語、それに広東語の、完全なとりこになってしまっていた。

中世そのままの姿が残っているマカオでは、時代錯誤のみか、場所的錯覚すら感じられた。小さな、孤立した村のようなこの町では、人々はなにもすることがなく、たいくつぼけしているように見えた。だから、外国からの訪問者はたいそう珍らしがられた。しかも生来、おしゃべり好きのポルトガル人のことである。わたしはかれらのおしゃべりを聞いているだけで、すっかりポルトガル語を覚えることができた。ポルトガル語こそ、それまで勉強したことばの中で、もっとも変わった方法で習得し、上達できたといえるであろう。

ポルトガル語にくらべて、広東語の上達はおそかった。知りあった中国人は、英語を話せたので、広東語をあまり使わなかった。それに中国人は一般に、ポルトガル人にくらべてどちらかというと閉鎖的で、あまりおしゃべりをしてくれなかったからである。だから、わたしは子どもを相手にしゃべったり、いなかへ行って、安全な範囲内で過去の思い出を話してもらったりして、かろうじて中国人と接触をこころみることができたのであった。

語学で生きる仕事を求めて

マカオで映画や通訳の仕事をしながら、わたしはそれを終えたら、インドから中近東を旅行してまわってみたい、と考えていた。

しかし、わたしは解放されず、フィルムの編集の仕事を手伝うため、いちおう日本に戻らなければならなかった。

その仕事をしながら、わたしはいろいろなアルバイトをした。

それまで、だれからも強要されることなく、いわば趣味として「語学をかじって」いたわたしは、自分の語学力がはたしてどのくらいのものかと、問いつめてみたことはなかった。

もちろん、依頼されて、イタリアの新聞記者、ドイツのバレエ団などの通訳をしたり、国内の観光ガイドをしたこともあった。前述のように、香港ロケでは、多種国語の通訳もした。あるときは、テレビ局で外人タレントの通訳もした。しかし、なんとか外国語で身を立てようと思っても、このくらいの実績では、たいした実証にはならない。そうかといって、フィンランド語やトルコ語などは、観光ガイドの国家検定試験をうけようとしても無理であった。やむなく、英会話を教えるベルリッツスクール

（在東京）の日本語講師をしたこともある。

唯一の手がかりは翻訳であった。いまは東京だけでも百をこえるほどである、いわゆる「翻訳センター」に雇ってもらおうと、方々に口をかけてみたこともある。一九六七年の初めのころのことである。

「わたしは何語と何語と何語ができますが……」といっても、頭から信用してくれない。これは当然のことなのかもしれない。そこで、あるところでは英語専門、他のところでは北欧関係語専門というふうに、何重もの人格者になって売りこもうと努力して歩いた。

そのうち少しずつ、テストがてらにか、ぽつぽつ翻訳の仕事が与えられはじめた。たとえば、ノルウェー語は紙パルプ関係のもの、スウェーデン語はボールベアリングに関するもの、イタリア語は料理についてのもの、アラビア語は会社名簿……などなど。

しかし、わたしがうれしかったのは、その当時つきあっていた、いちおうまともな外国人の友だちの好意であった。かれらの中には、正業のほかに、生活のために翻訳のアルバイトをしている人が多かった。かれらはどこに行っても、わたしのことを高く評価して伝えていてくれたのである。

ある日、翻訳事務所に行ったところが、わたしは突然「天才」になっていた。その評価が当っているかどうかは別として、ともかくかれらのおかげで、わたしは語学を生かす分野で活躍することができるようになったのであった。

ついに見つけたわたしの適職

その後、ようやくわたしが、自分に最適と思われる定職にありついたのも、その外国人たちの一人の推せんによったものである。

日本で開かれる各種の国際会議は、年々多くなる傾向にある。この種の会議には、どうしても陰の力もち的存在である、いわゆる「コングレス・オーガナイザー」、日本ではまだよく知られていないが、「国際会議の演出者」とでもいうべきものが必要である。しかもこれは、これからますます盛んになる国際交流のために、欠くことのできない職種であろう。

わたしが以前勤めていた、国際会議の総合運営を専門とする「日本コンベンション・サービス社」もその一つである。

この会社でわたしの仕事は、大きくわけて二つになる。一つは国際会議での仕事、いま一つは、一般翻訳である。日本で開かれる国際会議での公用語（発言・討議に用いてよいことば）は、通常、日本語、英語、フランス語の三つである。ときにはこれに、スペイン語、まれにロシア語が加えられる。われわれがその会議に提供するサービスは、スペイン語、議場での同時通訳、速記、会期中毎日の議事の要約、告知その他をふくむ日報を、各国語で編集し、それぞれ必要な部数だけ印刷し、翌朝九時までに各会議参加者に配ること、会議後は何百ページにものぼることのある総括報告書を製作（編集・翻訳・印刷）することなどである。わたしが受けもっているのは、翻訳（日、英、仏、スペインをふくむすべての方向）、また一般に、翻訳の監督をすることである。その際、各国語間の質的統一に主眼がおかれる。

世間では、外人が外人であるという理由だけで日本人より優遇されているところもあるが、国際会議での仕事は、実力でのみ評価される。すなわち、英語が母国語であるというだけでは資格は十分ではない。教養のある母国語を話し、それに加えて、他のことばも十分達者であることが絶対条件として要求される。それだけに、報酬も仕事に比例して多いことはいうまでもない。

一般翻訳の仕事では、わたしはこれまで勉強してきたすべてのことば、得ているすべての知識を総動員できるので、あたかもこの仕事につくためにいろいろなことばの勉強をしてきたかのような感じにさえなる。一種の満たされた感じといえるであろうか……。

外国語に憑かれたあとをふりかえって

この数年間使ってきた何十冊もの入門書、文法書、辞書、読み物、ノートなどをあけてみると、懐しい思い出で感慨ぶかいものがある。良い本も、よくない本も、みんなわたしの真実の先生であったと思う。

これまでにわたしが手がけた外国語の種類は、三十を越すであろう（正確に数えたことはなかった）。しかし、まだ時間のかけ方が不十分なために、そのうちほんとうにことばの真髄に触れ得たものは、二十そこそこにすぎない。その中には、英語、ドイツ語、オランダ語、スウェーデン語、ノルウェー語、デンマーク語、アイスランド語、フィンランド語、トルコ語、ペルシャ語、アラビア語、フランス語、イタリア語、スペイン語、ポルトガル語、ラテン語、中国語（官話と広東語だけ）、朝鮮語、ロシア語、チェコ語などがある。

わたしがいう真髄に触れえたことばとは、長い間放っておいても、簡単には忘れないほど上達したことばのことである。

何語についても、また、一般に何事についても、同様のことがいえるのではあるまいか、とわたしは思っている。

II

20カ国語上達の記録

■いかにして英語を身につけてきたかは前編でお読みいただくとして、ここでは英語以外の各国語の学習歴について、その勉強に手をそめた年代順にならべてみる。

フランス語　＝高校一年から＝

最初の二年間は、NHKラジオ講座（前田陽一）によった。発音はこれでほとんど完成し、AFSの留学先の高校で、正統派発音として賞められたのもこのためであろう、と感謝している。

副読本として「フランス語教養講座」I・II（河出書房）を、留学から帰ってからは「フランス広文典」（白水社）が役に立った。いまもこの広文典はわたしの座右の書である。

実際面で役立ったのは、まず帰国直後、網走郷土博物館を訪れたフランスの女性地質学者の通訳としてであった。

現在は英語とならぶあらゆる国際会議の公用語であるだけに、フルに活用している。

外語大入学直後、一時、フランス語熱もさめかかったが、「世界文化地理大系・フランス」（平凡社）を偶然読んでいるうちに、歴史、美術などから、フランス文化そのものの奥行の深さに打たれ、ふたたび強い刺激をうけた。

スウェーデン語 =高校二年から=

Bodmer が"Loom of Language"で書いている北欧語の描写の中で、スウェーデン語がもっとも字づらがきれいに見えたので、まず、スウェーデン語からはいってみようと決心した(一九五六年、アメリカ留学時)。アメリカを去るとき、"Teach Yourself Swedish"(English Universities Press)を買ってきた。それを帰ってきてからは半年ほどでいちおう読み終えた。

ある朝、汽車で学校へ向かう途中、車内に中年の外人婦人が坐っているのを見たが、網走駅に着いて降りるとき、その婦人は一枚の新聞を席において出ていった。なにげなくそれを見ると、スウェーデンのキリスト教布教新聞であった。宣教師なら、わたしの知っているアメリカ人のバプティスト教会に行ったにちがいないと見たわたしは、昼休みに教会に電話してみた。勘は的中し、その午後さっそく愛用のテープレコーダーをかついで、スウェーデン語の録音をお願いしに行った。読んでもらったのは、上記の入門書の中から、Askungen(シンデレラ)など、全部で三十分あまりのものであった。

翌五七年の秋には、曲がりなりにもまとまったことが書けるようになっていた。しかしどうしても辞書が欲しかった。思いきって東京のスウェーデン大使館に、もっとも早く入手するにはどうしたらよいか問い合わせてみた。すると、同大使館の Olofson 領事が、自分の使ってこられた英→スウェーデン、スウェーデン→英の辞書を二冊送ってくださった。この方は、定年になって、まだ東京に住んでおられ、いまだに交際をつづけている。

その後まもなく、アメリカで会ったスウェーデン人の学生から Selma Lagerlöf の "Osynliga Länkar"（見えざるきずな）を送ってもらった。かなりぶ厚い短篇集であったが、徹底的に熟読した。

発音は右記の録音によって勉強した。

文法も右記の入門書と Björkhagen の "Modern Swedish Grammar"、尾崎義「スウェーデン語四週間」（大学書林）。

活用としては、機会あるごとに読み、文通し、話したが、とくに印象的なできごとはない。

フィンランド語 ＝高校二年から＝

網走にいたオースタリッツ氏の奥さんがフィンランド人であった。遊びに行くたびにその奥さんからフィンランド語を聞いた。あのふしぎな響きがやみつきとなり、いつのまにか深入りしてしまっていた。

発音はオースタリッツ氏の奥さんに指導を受けた。東京へきて東外大に入ってからは、フィンランド大使館紹介の宣教師に録音してもらった（キリスト教徒になったことはないが、考えてみると、国を問わず、宣教師との交際が多かったことに驚く）。

文法は尾崎義「フィンランド語四週間」（大学書林）。フィンランドから取り寄せたSetälä の "Suomen kielen Oppikirja"

また、フィンランドから直接取り寄せたAino Wuolle の "Finnish-English Dictionary" をたよりにして、大使館で入手した本を何冊か読んだ。また、リーダーズ・ダイジェストのフィンランド語版は役にたったが、この辞書だけでは見当らない単語が多すぎた。そこで、わからない単語と辞書の中のミス・プリントとを表にしてその著者に手紙を出したところ、そのフィンランドでは指折りの辞典編纂者から、フィン→英で

14　　N:o 40—41 — YLI

Terutoyo japanilainen

Jokin aika sitten hämmästytti Terutoyo Taneda, japanilainen nuorimies, Ylioppilaslehden toimituksen ja lukijat suomenkielisellä kirjeellä. Hämmästys olisi varmaan ollut vieläkin suurempi, jos olisi tiedetty, että Terutoyon kirje olisi yhtä hyvin voinut olla englanniksi, ranskaksi, italiaksi tai ruotsiksi.

Sellainen nuori mies on Terutoyo japanilainen. Hän on 26-vuotiaan näköinen 21-vuotias kielten opiskelija. Toinen opiskeluvuosi on alullaan. Hyvin varma nuori mies ja hyvin 21-vuotias...

"Suomen kieli on hyvin mie-

luen Setälän kielioppia. Hyvä

yliopistoon hy
tain pyrkijöis
Tokion y
tulevat toimee
Jenin arvo
markkamme
dessa. Asuntoc
kaudessa ehkä
vuokraan sis
riaa päivässä.
kirjoihin ym.
joukossa hu
pieni osa. Jap
lija ei vietä
kelli;aelämää l
laise. Opisl
vain muutama
sa ja muitaka
suuksia ei ole
Terutoyo k
eräässä lähet
japanilaisittai
kuukausipalki
kuukaudessa.

フィンランドのユリオッピラスレヒティ紙にのった記事

はもっとも大きな辞書 Alanne: Suomalais-Englantilainen Sanakirja が送られてきた。思い出多いこのぶ厚い辞書は、いまでもわたしの本棚で目立っている。

実際面では、フィンランド語の活用らしい活用はなかったが、一度だけこんな経験があった。

ある日の夕方のこと、東外大から帰ると、「フィンランドの大学生新聞 Ylioppilaslehti の記者ですが、会ってお話ししたいと思いますが……」という電話がかかってきた。フィンランド大使館から聞きつけて連絡してきたその記者は、わたしのことについて、記事を書きたいというのであった。翌日、有楽町のデパートの二階のパーラーで会い、英語、フインランド語をまぜて、いろいろな質問に答えた。

わたしはそのまえに、同大使館から、その新聞のバックナンバーを手に入れ、購読者になるにはどうしたらよいかを、同新聞発行先に問い合わせていた。そのフィンランド語の手紙が思いがけず同紙に掲載され、多くの学生から励ましの手紙が届けられた。そのうち何人かとは、三、四年間文通をつづけた。また、同紙は、その後五年間あまり、毎号欠かさず、わたしのもとにとどけられたのであった。

ドイツ語 ＝高校二年から＝

留学から帰って、しきりに多くのことばに魅かれたころ、フィンランド語とともにもっとも熱を入れたことばである。

発音は、NHKラジオ講座（関口存男(つぎお)）で、浪人生活中もふくめて二年間勉強。文法はラジオ講座とともに読み始めた「詳細ドイツ語文法」（三修社）を徹底的にマスターした。とくに浪人時代に苦労して読みあげた“Die Grammatik der Türkischen Umgangssprache”は、いろいろな意味で勉強になった。カメの子文字で印刷されたトルコ語入門書で、一八九五年発行であるだけに、まさに旧式な教え方による難書であった。これでは、さすがトルコ語もマスターできなかった。

東外大では、ドイツ語科の講座にこっそり出席したり、ＯＡＧ（ドイツ文化研究所）に講演を聞きに行ったりした。また、ドイツ語会話グループを日本人だけでつくって練習した。

各社から出ている対訳双書、読み物も熟読したが、代表的なグラフ雑誌“Der Spiegel”を二年間定期購読したことで自信がついた。

現在の仕事では、翻訳以外、話すドイツ語はほとんど活用できない。国際会議では、ドイツ語の影はうすれている。

ロシア語　＝高校二年から＝

わたしのいた高校に、カラフトから引揚げてきたロシア語にたん能な先生がいた。先生が「赤いサラファン」をはじめ、数かずの民謡をロシア語で教えてくれたことが、わたしのロシア語勉強のキッカケであった。

その後は、ＮＨＫラジオ講座（東郷正延）の講義、Nina Potapova: Russian（全二巻）などをとおして勉強した。ほとんど独習。

現在は、貿易関係の和訳や露訳の仕事が多い。とくに一九六七年にオデッサで開かれた日本の見本市に関する仕事（カタログをはじめ、開会式のメッセージなどの露訳）が印象に残っている。

オランダ語　＝高校三年から＝

そもそものきっかけは、わたしが高三のころ、網走で宣教の仕事をしていたオランダ人の De Vries 先生のところに、単なる好奇心から、学校のテープレコーダーをかつぎ出して訪ねて行き、短いイソップ物語のオランダ語訳の読みを録音してもらったことであった。テキストは研究社の「世界言語概説」のオランダ語の欄の例文であった。それはイソップ物語の中でも有名な De noordenwind en de zon（北風と太陽）で、あとで録音は何度も繰り返し繰り返し聞いたらしく、いまだにその声、アクセントがいきいきと記憶にこだましてくる。

発音は、以上のほか、上京後、オランダ大使館の Miss Langeveldt に二十分ばかり詩の朗読をしてもらった。また、ジャパン・タイムズの広告案内欄で、オランダ人の家族がメイドを求めていると知り、「関係のないものですが、実は……」ともちこみ、結局、全部で一時間あまりの、いろいろな読み物（詩、短篇、新聞記事など）の録音をしてもらった。この人たちとはいまも交際している。

文法は、"Teach Yourself Dutch"。これはごく初歩的な入門書であるが、ドイツ語の知識に助けられてこれ一冊で十分まにあった。

辞書はCassellの"Dutch-English Dictionary"を使った。

活用といえば、話す機会はほとんどなかった。たまに会うオランダ人は、英語が母国語のようにでき、また、わたし自身、なぜかオランダ語が自由に話せるようになりたいと思ったことは一度もなかった。小説を三、四冊読んだだけである。しかし、いまの仕事では、オランダ関係は相当にある。中でも、官庁から依頼されるオランダの産業情報文献の翻訳作業が多い。

中国語〈北京官話〉＝高校三年から＝

NHKラジオの鐘ヶ江先生の講義が入門。

東外大一年のとき、神田湯島聖堂で開かれている中国語講座に半年間通い、ほぼ読み書きができ、中級程度の会話までできるようになった。

ソノシート（岩波書店）も有益であった。

広東語は、ロケのため香港へ渡る前に、エール大学のテキストである"Speak Cantonese"を一カ月で読了。ただし、漢字をいっさい使わない、全部ローマ字表記の内容だったので、読むのにはすこぶる不便だった。

イタリア語　＝大学一年から＝

断片的には、ＡＦＳ留学当時（高二）からかじっていた。Russo: Practical Italian を十ページほど読んで、単語を約五十ほど覚え、ニューヨークのイタリア人経営の床屋、レストランなどに出入りしてたのしんだ。

大学浪人生活の間に、"Teach Yourself Italian"を読み、フランス語からの類推で、かなり進めたと思っている。

東外大では、イタリア大使館勤めから、本格的にイタリア語を活用した。もちろん当初は英語で仕事をしていたが、仕事以外の個人的な交際から、自然にイタリア語にとけこんだ。とくに館員の令息・令嬢とのおつきあいが勉強になった。入館後二年ののち、全部イタリア語に切り換えられた。

雑誌 Epoca の購読や、イタリア映画の鑑賞もとくに有益であった。

そのころ、大学書林の対訳シリーズ〝クオレ〟の中から、誤訳をいくつも見つけられるようになった。

また、藤原歌劇研究所で、オペラ歌手のため、イタリア語を教えたこともある。

デンマーク語　＝大学一年から＝

発音は、デンマーク大使館に紹介してもらった留学生何人かに、アンデルセンの童話を数々録音してもらった。また、北欧文化協会の会員であったわたしは、その名をかりて、一九六〇年ごろであったか、デンマークの有名な東洋研究家 Stemann 女史に会えた。女史はわざわざ詩の朗読を録音してくださった。そのうえ、帰国後、自著のアイスランド語文法を送ってくださった。一九六八年、わたしはコペンハーゲンではじめてデンマーク語だけで会話してみたが、咽の奥からしぼり出すような音の連続は悪評にもかかわらず、美しく感じた。

文法は、Bredsdorff の入門書と〝Teach Yourself Danish〟の二書を読破。

活用は、読み書きにかぎられた。しかも、アンデルセンの童話、数々の雑誌を読んだりした程度にすぎない。技術関係のデンマーク語→英翻訳は学生時代にずいぶんした。

ノルウェー語　＝大学一年から＝

発音は、ノルウェー大使館のChristiansen氏に、ノルウェー民話（Asbjørnsen, Moeのもの）を数々録音してもらってマスター。

文法は、“Teach Yourself Norwegian”。手ごろな入門書で、すでにスウェーデン語を知っていたわたしにはこれで十分であった。

実際に使ったケースは、読み書きにかぎられた。学生のころノル→和翻訳を日本ピストンリングに頼まれて三カ月ほどかかって終えた仕事を思い出す。謝礼として十万円を受けとった。

アイスランド語　＝大学一年から＝

北欧語研究の一環として、どうしてもマスターしたいことばであった。もとより、日本にはアイスランド人が一人もいないので、勉強には数々の障害があった。これはすでに触れたがミス・アイスランドから直接テープに吹き込んでもらったものが唯一である。このほか、発音の資料を集める目的で、文通を希望する、と首都レイキャビクの一流新聞 Morgunblaðið へ投稿したところ、何十人もから、本来の目的に副わぬ返事がきたことがあった（一九五八年）。そのうちの一人だけが、何分かの朗読を録音したテープを送ってくれたが、録音が悪く使いものにならなかった。

文法は、Einarsson: Icelandic (John Hopkins) をアメリカから取り寄せてもらった。

活用は現在のところゼロ。

ペルシャ語〈イラン語〉　＝大学二年から＝

きっかけは、劇的であった。あるとき、六本木の喫茶店で、外人の女性と知り合った。それはイランの女性であった。さっそく、その日のうちに、丸善から Lambton: Persian Grammar を買ってきて、記録的な時間で読破した（三カ月くらい）。

それから“Teach Yourself Persian”。そのほか大使館から新聞・雑誌類を入手して読んだ。駒場にある留学生会館で、イラン人の留学生たちとしばしば交際したが、なぜかこの努力が花咲く前に、ほかのことで忙しくなり、いまだに長いスランプの中にある。たまに北京放送のイラン向けイラン語放送を聞いては、かろうじて細長く接触を保っている。

トルコ語　＝大学二年から＝

手はじめに勉強した"Teach Yourself Turkish"のテキストを全部、トルコ大使館のOrhan Türeli氏に録音してもらった。かれに、「わたしの名前を正確に発音できる人はあなただけです」といわれ、大いに勇気づけられたのを覚えている。

そのほか、Wittek: Turkish Readerや、小説の短篇集を集中的に読んだ。一九六八年の国際会議（国際最高会計検査機関会議）では、トルコ関係の人名簿の翻訳を担当したのが活用のはしりであったと思う。

スペイン語　＝一九六〇年から＝

勉強らしい勉強は一度もしたことはなかったが、南米の各大使館の人々との交際で聞き覚えた。

"Teach Yourself Spanish"など何冊かの英語による文法書で整理した。

そのほか、NHKの海外向け放送のうち南米向けのスペイン、ポルトガル語放送を毎晩のように聞いた時期が半年あった（一九五九年）。

スペイン語の最終仕上げは、一九六四年の国際観光年の記念行事の一環として、日本国際観光振興会が主催した同時通訳講習会（三カ月）で行なった。

現在、英語、フランス語についで仕事量の多いことばの一つである。

ポルトガル語　＝一九六五年から＝

一九六五年、ロケのためにマカオに渡って、はじめて正統派のポルトガル語に接した。その際、ブラジルのポルトガル語は、本国のものとはちがうことを確かめた。

渡航以前は、スペイン語からの類推がきくため、かなり深くはいって勉強していたが、ブラジル大使館で発音を聞き、資料も入手していた。

現在、ブラジルへプラント輸出するための元資料となる、立地条件に関する文献の翻訳の仕事が多い。

古典語〈ラテン、ギリシア語〉＝一九六六年から＝

いずれも実用性のない、教養としてのことばであるが、基本文法はマスターした。

ラテン語では、呉茂一「ラテン語入門」（岩波書店）や外国語によるラテン語文法書を二冊ほど。

そのほかシーザーの「戦記」やタキトゥスの著作などを、フランス語訳がついた双書で読んだ。ギリシア語は、古川晴風（はるかぜ）「ギリシヤ語四週間」（大学書林）で古典ギリシア語の鳥瞰を得た。

現在、翻訳などの仕事はいっさいない。古典語はなぜか落書（らくがき）に格好なことばである。

チェコ語＝一九六七年から＝

“Teach Yourself Czech”が入門として役に立った。
また、チェコ大使館でもらった“Literální Listy”紙、その他の雑誌が勉強にうるおいを与えてくれた。

一九六八年のチェコの騒動の際は、学生や研究所から現地新聞の翻訳を依頼された。チェコ語も、他の共産圏のヨーロッパ諸国語と同様、北京放送で発音の勉強ができる。チェコ語はとくにテープに何回も入れて聞き直した。

現在、翻訳の仕事がたまにある。

インドネシア語　＝一九六七年から＝

Pino: A Grammar of Bahasa Indonesia と"Teach Yourself Indonesian"とを熟読。

インドネシア語では、とくに日本語との共通語いの研究に没頭している。

ルーマニア語　＝一九六七年から＝

翻訳の仕事で六本木周辺をよく歩いていたころ、明治屋ストアで、ルーマニア人の家族が話しているのを聞き、てっきりイタリア語かと思い、「イタリアはどちらから?」と聞いたところ、おぼつかない英語でルーマニア人であると答えが返ってきたことがある。

響きが非常にイタリア語に似ているところから興味をもち始め、まず、ドイツのHalle大学で出されている"Lernen Wir Rumänisch zu sprechen"を入門書として勉強。つづいてスペインのSalamanca大学で出版の"Gramática rumana"を神田の古本屋で見つけた。

発音は北京放送のルーマニア語が非常によく聞きとれるので、勉強するのにらくである。

現在の活用としては、ほとんどゼロに等しい。

朝鮮語 ‖一九六七年から‖

前々から勉強したかったことば。

よい入門書がなかなか出なかったが、一九六三年に大学書林から出た石原・青山「朝鮮語四週間」は、いまのところもっともよい本ではないかと思う。日本語に似ているだろうからと考えて、なに気なくやってみたが、そう簡単には行かず、全部初めから、他のことばにたいすると同じ態度で出なおした。

発音については、韓国人で、仕事の同僚である金氏に録音をたくさんしてもらった。

アラビア語　＝一九六七年から＝

井筒俊彦「アラビア語入門」（慶應義塾大学語学研究所・絶版）で手ほどきをうけ、Haywood, Nahmad: A New Arabic Grammar をマスターした。

現在コーランを読んでいるが、会社名鑑の二十行ばかりを和訳する仕事が舞い込んできたこともある。

北京放送のアラビア語放送は、発音を勉強するうえで有益である。

いつからの習慣か覚えていないが、手帳のメモは全部アラビア語で書いている。

Ⅲ ポリグロットのすすめ

pol′y·glot [pɔ́liglɔt / pɑ́liglɑt], *a.* 数箇国語に通じる；数箇国語の、数箇国語で記した。
——, *n.* 数箇国語に通じる人；数箇国語で記した本；〔特に〕数箇国語対照の聖書。

ポリグロットの時代来たる

英語プラス他国語の強さ

社会生活のテンポが、加速度的にスピード・アップされつつある現代、それに随伴して、われわれの言語生活も、いやおうなしにスピード化されつつある。戦後行なわれた当用漢字の制限も、結果的にはその表われの一つであろうと思われる。

また、一般にこれまでの日本では知られていなかった事物が、普通のものとして受けいれられるようになったため、適当な日本語訳をさがすことをせず、外国語の原語をそのまま使うことも多くなってきている。

こうした母国語にはなかった借用語（外来語）を、めんどくさがり、短縮化して使う日本語化の方法もさかんに行なわれている。たとえば、マスコミ（マス・コミュニケーション）、何とかプロ（プロダクション）、喫茶店などで聞くレティ（レモン・ティ）、レスカ（レモン・スカッシュ）、英字新聞のジャパン・タイムズは略して「ジャパタイ」など。

これらの略語のうち、いくつかはすでにそれ自身独立したことばとして定着し、「プレハブ住宅」と聞けば、とっさにその物が頭に浮かぶ。この「プレハブ」というのは、「プレファブリケーテッド」の略語だと知っている、あるいは気づく人はどのくらいいるであろうか。

また、「マスコミ」のかわりに「マス・コミュニケーション」とか、「リモコン」のかわりに「リモート・コントロール」などと、うっかり口にしようものなら、まわりから目に見えぬ圧力をうけ、自分は時代おくれかなと、感じさせられることもある。

この事実は、大いに注目する必要がある。ことばの省略現象は、日本だけのことではなく、生活の近代化が行なわれているところでは、どこでも見られることである。しかし、外来語歓迎の盛大さにおいて、日本は世界でもユニークな国であるにちがいない。

それにはそれ相応の理由があるが、「レモン茶」といったら笑われ、食堂（レストランではない）で、「ご飯」と注文すると、「ライスですね」と真意を確かめられる。不動産屋の門をたたいて、「浴室・便所・車庫つきの貸間」といったのではだめで、「バス・トイレ・ガレージつきのアパート」でなければならない。ここに至っては、日本語を国際化しようとする、なにか不可抗力が動いているようにすら感じさせられる。

わたしはここで、そういった傾向を非難しようとするものではない。こういう現象は、外国語を学ぶものには、むしろ有利な環境とも見られよう。

その結果かどうか知らないが、ネコもシャクシも、英語を知っている今日、上手でも下手でも、一律に「英語ができるひと」としてしか、レッテルを貼られなくなってしまった。まったく、口惜しい話である。その上、たとえ英語の上手な人でも、英語プラス他のことばを知っている人に、たやすく追い抜かれてしまうような職場も、最近は目立って多くなってきている。これは、世界各国間の接触や、往来・交流が日に日に密度がこくなり、国際語としての英語の普及率が、相対的におくれてきている事実を裏づける現象以外の何ものでもないであろう。

万博こそ「言語の祭典」

日本万国博覧会は、わたしにとって、まさに空前の「言語の祭典」であった。幸い、万博美術館の展示品カタログ編集の仕事で、一月から五月まで京都に滞在したので、三月十五日の開幕から五月まで数えきれないほど万博がよいをした。そこでなつかしい言葉、珍しい言葉、はじめて耳にする言葉に、この上もないスリルをもって接した。

この体験から得た収益は、まさにわたしが以前から信じて疑わなかったことを再確認できたことであった。日本人がフランス人、ソビエト人たちと第三外国語の英語で会話をしているのをはたから聞いて、なんともどかしく、誤解されやすいことかと、ひとりで気をもんだのであった。

これからはポリグロットの時代である。大国のことばイクォール世界語という方程式は、いまや無効になりかけている。

英語は、国際語としての地位を長いあいだ保ってきたため、どこの国でも、いちおうは勉強されている。しかし、その普及率が百パーセントになる日は、気が遠くなるほど未来であろうことは、わたし自身、最近の万博やヨーロッパ旅行で感じたことである。

そんなときに、英語がどこに行っても通じるようになる日が来ることを信じて、英語に専念するより、他国語を習得してしまったほうが、より現実的であろう。また、国際化する現代の躍動に参与するものの義務とも考えられよう。

映画にせよ、文学にせよ、手紙にせよ、ファッション雑誌にせよ、学術専門書にせよ、新聞にせよ、ともかく、翻訳にたよることなしに直接理解できたり、それぞれの問題について、「向こうの人」と直接に話しあえるのは、なんといっても愉快なことである。

第三国のことばを借りて話すより、日本人とイタリア人なら、日本語かイタリア語で話すべきである。そうすることによって、時間の浪費でしかない誤解もずっと少なくなることであろうし、たがいの親密感も増そうというものである。

今世紀のちょう児である電子計算機をもってしても、翻訳の分野において、人間の頭脳を追いこすことができるのはいつの日になることか。少し前の話であるが、「精神（Spirit）云々」という英語を電子翻訳機に露訳させたところ「アルコール云々」という意味の訳文がでてきたという実話は有名である。まだ、かなり長い目で待たなければならないらしい。

ポリグロットにたいする需要は、われわれの身辺にすでに実存しているのである。

それでは、ポリグロットになるための王道は、はたしてあるのだろうか？　五カ国語、十カ国語、二十カ国語を習得するには、はたして英語を習得するのに要した時間、その努力の五倍、十倍、二十倍もの「犠牲」が必要とされるものであろうか？

ポリグロットになることは至難か

驚異に値しないオランダ人

「七カ国語がペラペラのオランダ人がいるけれど会ってみないか。ちょっと天才はだの男だと思うんだけど」と、英語がすこしわかるくせに語学恐怖症ぎみの友人に誘われ、その「天才」に会ってみた。さっそく、

「語学の天才と聞きました。いったいどんなことばをお話しになるのですか?」とその、いまはやりの「世界一周旅行者」(「ヒッピーはインテリにあらず」といっていた)に英語でたずねてみた。すると、かれはてれることもなく、誇らしげに、

「オランダ語はもちろんでしょう。それに英語、フランス語、ドイツ語、フラマン語、ルクセンブルグ語、アフリカーンス語は母国語のようにらくに話せます。あと、イタリア語、スペイン語、ポルトガル語、北欧のことばなども不自由しません。わたくしはヨーロッパを自分の庭のように知っています。いま日本語を勉強しています」とい

った。

この「天才」の話はほんとうに驚異に値するだろうか。

まず第一、オランダ語、フラマン語（フランドル地方で話されるオランダ語の方言）、アフリカーンス語（南アフリカの公用オランダ語）、ルクセンブルグ語を四つのことばとして数えるのは、いわば福島弁、東京弁、京都弁、鹿児島弁を四つのことばとみなすのに等しいと考えてもさしつかえないであろう。

つぎに、かれは学校で（はっきりいわなかったが）英語とフランス語を何年か勉強したそうであるが、インテリぶるオランダ人が、英語、フランス語、ドイツ語をある程度理解することは、オランダの国情を考えるとむしろあたりまえともいえよう。

第三に、イタリアに半年ほどいたことがあるというかれは、その間に覚えたイタリア語をもってすると、スペイン語、ポルトガル語も、ぜんぜん勉強したことがなくてもかなりわかる部分がある（場合によっては全部わかる）ので、「わかる」といってもうそではないという考え方から、これらのことばもわかるといっていたことが後になって明らかになった。

第四に、オランダ語と英語を知るものが北欧（とはいえスウェーデン、ノルウェー、デンマークにかぎる）やドイツあたりでぶらぶらしていると、おおよその見当はつくようになり、勘のよいものなら、かなり容易にピックアップできることは、だれでも認める事実である。

こう見てくると、このオランダ人はとくに驚くほどの天才ではないことがわかる。確かに、「やる気」のある男であることは認めるが、それにしても、かれが知っているということばを全部覚えるのにつぎ込んだ努力は、われわれが英語を習得するのにつぎ込んだ努力の何分の一かにすぎないことは明らかである。

わたしはこのオランダ人を毛嫌いし、不当にアタックしているのではない。要するに、このオランダ人のケースがわれわれに教えてくれるものは、一口に何カ国語話せるといっても、同系統のものばかりであるならば、ある程度だれでもできることだ、ということである。ただ、スウェーデン語がノルウェー語に似ているように、日本語に似た他のことばが多く存在しないことから、日本にとってポリグロットであることのおもしろさをたのしむ可能性が、必然的に限られてくることはまことに残念なことである。日本語の方言とは、事実上どうしても考えられない「琉球語」があっても、これは言語学の専門家が研究対象とするだけで、いまのところ入門書すら市販されていない。

しかし、われわれは学校で英語を学んでいる。しかも、その英語を基盤として、他のいくつかの国語を割合に容易に習得することができるが、その場合、どんな勉強をすればいちばん効果的であり、またどんなことばを勉強できるであろうか？

以下、わたしは自分の経験をふり返り、自分なりにとってきたいくつかの方法のうち独断的な面こそここかしこあれ、もっとも効果的と考えるものを、総合的に順を追って整理し、将来ポリグロットになろうとする方々、ならびにすでにいくつかのことばを勉強したが、ある地点まできて行き悩んでいるような方々のための指南材料としてみたい。

勉強ぎらいにすすめたいこと

外国語を習得すること自体によろこびを見出すことができれば、非常に有利な出発点に立っているといえよう。反面、それを苦痛と感じる人は、なぜ苦痛として感じるのか、少し考えてみる必要があろう。

いずれにせよ、語学を習得することは、もとより単調な仕事である。語学の好きな人でも、遅かれはやかれ、必ず飽きがくることは避けられない。まして、語学にたいして関心をもたない人にとって、英語、フランス語などを勉強しなければならない立場におかれることは、まさに苦痛に直結する地獄であるにちがいない。

中には、語学が上手になりたいのに、むずかしいという単純な理由からあきらめてしまっている人もいるかもしれない。

これらの苦情に応えて、なるべくらくに勉強できるようにとくふうをこらした語学入門書が、競って書店に現われている。しかし、あまりにも多くの本を目の前にして、せっかくなにかよい本を買おうと思って出かけてきたのに、結局どの本を買っていいのかわからず失望して帰る人もいると、友人から実際の経験談として聞いたことがある。

しかし、本だけにすべての希望を託（たく）すこと自身、ひじょうに危険であり、無理な話でもある。本は通常、生徒の問には絶対に耳を傾けてくれない、がんこな先生であるから。

もちろん本は、語学の学習者にとって不可欠なものである。しかし、効果的に使わないと、がんこおやじのようにきらいになってしまいかねない。

では、どんな態度で本に接したらよいのであろうか。

中学校、高校、または大学で英語を勉強した人は、教科書副読本その他の読み物を通じて、あるいは映画、小説などを通じて、イギリス、アメリカの日常生活、歴史などの、ある程度の文化的背景に接する機会をもってきたはずである。そしてそういった経験に刺激されて、英語にたいして新たな情熱を感じるのを経験した思い出のある人も、少なくないであろう。

あるいは、床屋で待っている間に、待合室においてあったグラフ雑誌を開いてみると、どこかの国についての特集があったり、何かの機会に外人と知りあいになったりして、予期していなかった、まったく偶然の出来事がきっかけとなって、写真集で紹介されていた国、その外人の祖国についてもっと知ってみたいという気持になることは、だれでもある程度経験したことがあるにちがいない。

さて、これこそわたくしがここでとくに強調したい「語学研究への前提」なのである。

何よりもさきに、この前提の上に立って勉強を進めるべきである。しかもつねに、勉強の進路を見失わないよう気を配り、研究の経過の中にあって、自分はいまどの地点に立っているか、ということを意識しながら前進することができるよう習慣づけてしまえば、あとは時間の問題だけである。

趣味の世界をかけ橋とする

語学（たとえば英語）を勉強することが、何の抵抗もなく、いつでも自然に、しかも気楽にとびこめる仕事になるような環境づくりに、意をこらすことが絶対に必要な条件である。

趣味を同じくする外人の友だちをもつ。できなかったら、そういうペンパルをさがして文通をする（自信がなくて、はじめはブロークンでも大いに結構）。国内にきている外人との文通を求めてジャパン・タイムズとか、アサヒ・イヴニング・ニューズなどに投書——とはいえ、広告になってしまうが——するのも一つのアイディアである。キリスト教と聞いただけで身ぶるいがするほどキリスト教ぎらいでないかぎり、西洋社会の根底をなす宗教的背景を知るために、アメリカ人かイギリス人（オーストラリア人でも、ニュージーランド人でも同じ）、さもなければ、ともかく、英語を話す宣教師を訪れるか、その宣教師の教会に出入りするようにする。洋画を見る機会をふやす。DXファンなら、毎日同じ時間に同じ放送を聞き、コールサインの「ものまね」ができるようになるまで、いや、なってもつづけて聞く……などなど。可能性はいくらでも考えられよう。

また、海外旅行の案内書や、「世界文化地理大系」シリーズなどから、自分の選んだ国についての巻を手に入れて読んでみると、意外にその国にたいする興味が深まるものである。

ここでぜひすすめたいことは、自分の専門、またはとくに興味をもっている分野、趣味など（たとえば、ファッション、花の栽培、数学、政治など）をかけ橋として、他の国に目を向けるという方法である。

わたしの場合をあえてあげれば、世界中で人間が使っている「音」（正確には言語音）のバライエティはどのくらいの広がりをもつものなのだろうか、という、いわば子どもの好奇心にも似た素朴な関心につきまとわれて、大げさにいえば、音声学的な研究が主なテーマの一つであった（たとえば、母音（ぼいん）については、日本にはア、イ、ゥ、エ、オしかないが、ロシア語ではどうなのだろう？　そして珍しい母音があるなら、どんな音なのだろう？　といった好奇心）。これはただ一つの例にすぎないが、他のいろいろな「かけ橋」を通じて、外国語をマスターした人をいく人も知っている。

前衛映画への情熱から、フランス映画にこり、つぎに飛び火的に（しかし実は必然的に）、一般フランス事情に、ついにフランス語にやみつきになった人。農林省のお役人で、森林学をかけ橋に同様なプロセスを通じてノルウェー語に、ついにはいもづる式に北欧通になった人などが典型的な例である。これらの人々は、いずれも二、三年前後で、いちおう行きつけるところまで到達している。また、これらの人々は、語学への関心から、それぞれの研究に着手したのではない、ということも大いに注目すべきである。

これらの実例が物語ることを逆にいえば、さりげなく落っこちていけるような落とし穴を、自分の前に、自分で、先手をとって掘ってゆくべきだ、ということである。しょせん、自分のくせをくわしく分析できるのは、本人自身以外だれもいないのであるから。

ポリグロットへの道をはばむ条件

勉強好きに多い知識の片寄り

前に述べた、語学以外のかけ橋を通って、最後に語学に着手するという方法は、語学の習得にたいして、何らかの抵抗を感じる人にすすめるコンプレックス克服法であった。

しかし、そのような問題のない、有利な立場にある人は、さっそく勉強にとりかかればよい。ただ、その前に一つだけ注意すべきことがある。

語学が好きであればあるほど、好ききらいがきわだって激しくなる傾向があるように思われる。他のことについてはともかく、この傾向は皮肉なことに、語学の研究そのものにも現われることがある。たとえば、語いについては、名詞を覚えるのが大好きなのに、形容詞が、いや動詞がきらいだとか、会話は得意だけれど、読み書きはめんどうだとかいったたぐいの好ききらいが、それである。

こういったアンバランスは、はじめから是正しておかないと、三年後、五年後になって、読み書きは自由なのに、ぜんぜん話ができない、といったような、変則的な結果が生まれてくることになる。これこそポリグロットへの道に横たわる大きな障害である。

望まれる、片寄りのしない勉強方法——これは結局、読解力と作文力の間の実力の差ができるだけ小さくなるような方法で勉強することである。

読解力の養成は、読み・書き・話し・聞きの四つの中でも、もっとも進歩が速い。作文力は、書きと話しの母体である。作文力がないのに会話ばかり練習していると、何年たってもブロークンしか話せないのもあたりまえのことである。というのは、作文力こそ、正確な文法的知識に立脚するものだからである。

ヒヤリングには、世間でさわがれているほど力を入れる必要はない。

バランスのよくとれた勉強法のありかたについては、次章でくわしく述べるが、最後に片寄った勉強法がもたらす変則的な結果について、実例をあげながらふれ、一つの警告としておきたい。

最新式ダイレクト・メソッドは役に立たない

元来わたしは、日本における、いわゆるダイレクト・メソッドと呼ばれる「音からはいる外国語学習法」なるもののありかたに、大いに疑問をもっている。ダイレクト・メソッドが、日本でほんとうにその真価を発揮できる場は、地方なまりを是正するための方法、または方言を学ぶための方法以外にないと思われる（ただし、ベルリッツスクール式に先生が生徒の問題点をよく理解し、そのうえで個人的に指導するというならもちろん話は別である）。

しかし、世間でいう「最新式ダイレクト・メソッドを用いての外人講師による小人数クラス制云々……」のマスプロ式会話学校には注意を要する。英語教育の問題意識すらない校長さんが、外人テレビ・タレント・センターに電話で、「いつもの講師がどうしてか最近消えてしまったので、だれか青い目の外人さんを紹介してくださいませんか。英語のわかる人ならどこの人でもけっこうですから。二世は外人と思われないので、二世じゃない人を……」と依頼する。青い目の外人さんが紹介され、教えに行く。わたしはその外人を知っている。スイス人の、いわゆるヒッチハイカー。身なりをいちおうととのえると、ひげが偉人のひげに見えてくる。

「ぼくが英語を教えるなんて、……ハッハッハッ」

とその高校出たての家出スイス人は、腹をかかえて大いに笑う。日本は天国であるにちがいない。

こういう会話学校に行っている人の中には、優秀な生徒もいるそうであるが、多くは病的な、片寄った授業の犠牲者となっている。

三年間どこどこの英会話学院で、英会話とタイピングを勉強し、通訳の経験もあるという女性が、国際会議関係の仕事を求めてきたことがあった。悲しいことに、その女性は会話にずるくなれてしまっていて、読み書きは中学二年以下の実力しかないのに、ブロークンながら、実に流ちょうに英語を話した。かの女はなんの役にも立たない知識しかもっていなかった。

またあるとき、語学気狂いのアメリカ人と、わたしは知りあったことがある。ロシア語、中国語、朝鮮語、スペイン語、日本語などを、正確さはともかく、ペラペラ話す人であった。そのうち、中国語、朝鮮語、日本語はローマ字だけで勉強したという努力家のかれは、イキトウゴウする、ウンサンムショウといった、けっこうむずかしい表現も覚えていた。ただ、意気投合、雲散霧消という漢字のもつニュアンスには盲目のまま、ただ「意見が合うこと」、「消えてしまうこと」という、だれかから聞いたらしい定義だけに頼って、それを使っていた。たとえば、「さっきの人、どこへウンサンムショウしたの？」と得意になって使う。わたしたちには、まことに奇妙な印象が残る。なおこの人は、救いようもないほどニュアンスにたいして不感症になってしまっていた。

これら二つの例は、話すことに力を入れすぎた結果、起こったへい害を示している。

読みだけのマスターはありえない

本だけに頼って勉強を進めると、どんな結果が生まれるだろうか？

これこそ明治以来、日本では、ほとんど伝統的になっている勉強法であるが、西洋から手に入れたオランダ語、ドイツ語、英語などで書かれた原書を解読する際、必然的に、紙面にだけ頼る方法が確立されたわけである。いわば、漢文を読むときと同じ態度で、西洋の文献に接したわけである。これも、それしかできなかった当時の情況下の勉強法としては、是としなければならないであろう。

その後、西洋人も多く日本にやって来、また、多くの日本人も西洋へ行ってきたりすることがふえて、外国にたいする認識も深まったが、それに比例して外国語を生きた形でとらえる機会も多くなってきた。しかし、外国語の勉強法は、影響を受けなかった。学習者は、依然として解読法の練磨にだけ専念していた。

理由はいくつか考えられようが、当時の日本人の知識層の言語生活は、いまにも増して漢字を中心としたものであった。そのため、かれらは抽象的な音の印象による記憶力よりも、具象的な象形文字である漢字による視覚的記憶力のほうが、はるかにすぐれていたにちがいない、とわたしは思う。もし、これが正しいとしたら、かれらが、聞きとりにくい外国語の発音を避け、字面を漢文式に追うことに専念したことは十分にうなずけよう。

やっと最近になって、——とくに第二次世界大戦後、伝統をうち破る勇気をもった、多くのすぐれた先生方が、勉強法を改革し始められたことは、日本での外国語研究史上、画期的な出来事といえよう。それらの先生方の努力の結果、新しい方法が大勢を占めるようになる日も、ほど遠からぬことと信じる。

にもかかわらず、いまだにかなり根強く居すわっている、この「解読専念主義」は、英語なりなんなりをペラペラ話す人間を安っぽいときめつけ、飛躍的に、外国語を話せる人間一般にたいして抱く偏見に基づいている。

さきほどの英会話学校卒の女性と、こういった偏見の持ち主とは、あたかも両極端に立っていがみあっているようなものである。

正しい勉強法は、これら両極端の中間を行くというような中庸的なものではない。正しい道は一つしかなく、それ以外はすべて道ばたを行くようなものである。

「読み書きならなんとかなるんですけど、スピーキングのほうはどうも苦手でして……」

といって頭をかく人の多いこと。理由は明らかである。こういう人は辞書を片手に、何十冊何百冊の洋書を読んでいる人かもしれない。しかし、なぜか作文力を養う機会をもたなかった人——すなわち、読む力と書く力（作文力）の間に大きなギャップをもつ人である。

作文力を基盤にもたない解釈力は、あぶなっかしい解読力であり、読解力ではありえない。また、こういった安定した基礎のない知識は、ものの一年か二年放っておいただけで、それこそ雲散霧消してしまいかねない、揮発性の知識である。

英語オンリーから多国語へ

ヨーロッパをおおう三つの言語傘

種々雑多な語族がもっとも密集していて、早くから言語学的観察の対象になっているところは、ヨーロッパである。われわれが学校で勉強した英語も、そのヨーロッパ語群の一つである。

ここでは、大きな勢力群として、ラテン語を基とするロマンス語群、ゲルマン語群、それにスラブ語群をまず検討してみよう。

これらのグループは、さらに大きなインド・ヨーロッパ語族という、一つの屋根の下に一大グループをつくっている。

この屋根は古い大きな屋根で、世界地図を見ると、アメリカ大陸、全ヨーロッパ（あちこちにアナはあるが）、ソ連、さらにイラン、アフガニスタンをとおって、北インドまでひろがっている。

ゲルマン語群	1	2	3	4	5	6	7	8	9	10
英語	one	two	three	four	five	six	seven	eight	nine	ten
スウェーデン語	en	två	tre	fyra	fem	sex	sju	åtta	nio	tio
デンマーク語	en	to	tre	fire	fem	seks	syv	otte	ni	ti
ノルウェー語	en	to	tre	fire	fem	seks	syv	åtte	ni	ti
オランダ語	een	twee	drie	vier	vijf	zes	zeven	acht	negen	tien
ドイツ語	eins	zwei	drei	vier	fünf	sechs	sieben	acht	neun	zehn
ロマンス語群	1	2	3	4	5	6	7	8	9	10
イタリア語	uno	due	tre	quattro	cinque	sei	sette	otto	nove	dieci
スペイン語	uno	dos	tres	cuatro	cinco	seis	siete	ocho	nueve	diez
ポルトガル語	um	dois	três	quatro	cinco	seis	sete	oito	nove	dez
ルーマニア語	unu	doi	trei	patru	cinci	şaşe	şapte	opt	nouă	zece
ラテン語	unus	duo	tres	quattuor	quinque	sex	septem	octo	novem	decem
スラブ語群	1	2	3	4	5	6	7	8	9	10
ロシア語	один	два	три	четыре	пять	шесть	семь	восемь	девять	десять
ブルガリア語	един	два	три	четири	пет	шест	седем	осем	девет	десет
ポーランド語	jeden	dwa	trzy	cztery	piec	szesć	siedem	osiem	dziewieć	dziesieć
チェコ語	jeden	dva	tři	čtyři	pět	šest	sedm	osm	devět	deset

各国語1から10の比較対照

われわれは日本でもっともひろく普及している英語を出発点として、その近辺ではどんなことばがあるか、そしてそれらのことばは、実際に英語とどういう関係にあるかをまず考察してみよう。

前ページはヨーロッパにおける主な国語別に、基数を1から10までについて比較対照したものである。

さらに、「手」という単語についても、その分布のありさまが、同じく明らかになる。

しかし、この区分はすべての詳細にまでわたって、整然としているわけではない。とくに、英語、ルーマニア語、スペイン語、ポルトガル語についてそれがいえる。

ロマンス語群	
イタリア語	mano
スペイン語	mano
ポルトガル語	mão
フランス語	main
ルーマニア語	mînă
ラテン語	manus
ゲルマン語群	
英語	hand
ドイツ語	Hand
オランダ語	hand
スウェーデン語	hand
ノルウェー語	hand
デンマーク語	hånd
スラブ語群	
ロシア語	рука [ruka]
ポーランド語	ręka
チェコ語	ruka
ブルガリア語	ръка [rəka]
セルビア語	[ruka]
クロアチア語	〃

手を表す各国語

たとえば、「可能な」という形容詞をとって考えてみよう。

これによると、英語だけがフランス語から借りたことばをそのまま使い、異分子となっている。

また、ロマンス語群について、「金持ちの」という形容詞を見てみよう（左図）。

このように、ルーマニア語だけが、別な語源からきた単語を用いていることがわかる。

英語からの移行が有利

英語は、元来、ゲルマン語群に属することばでありながら、十一世紀のノルマン人による英国征服が端緒となって、フランスからの文化的圧力のもとで、おびただしい

[可能な]

英　　語	possible
ドイツ語	möglich
オランダ語	mogelijk
スウェーデン語	möjlig
デンマーク語	mulig
ノルウェー語	〃

[金持ちの]

イタリア語	ricco
スペイン語	rico
ポルトガル語	rico
フランス語	riche
ルーマニア語	bogat

「可能な」「金持ちの」を表す各国語

数の単語をフランス語から吸収したのである。これは、日本語にはいってきた漢語の例に酷似している。和文を英訳する際、漢字の部分は、ほとんど必ずといってよいほど、フランス語からはいってきたことば、またはラテン語から直接取りいれたことばで翻訳しなければならない。

たとえば、「すべての国家は平和的解決を希望するなら国際協力が絶対に必要である」という文は、

If all nations desire a peaceful solution, international co-operation is absolutely necessary.

となるようなものである。

ところが、

You are younger than I, so you should listen to me carefully.（おまえはぼくよりわかい。だからぼくのいうことをよく聞きなさい。）

では、全部ゲルマン語であり、同じことを日本語でいうときも、われわれはやまとことばを使う（「お前」、「僕」、「若い」、「言う」、「事」、「聞くは」、意味を軸としたアテ字である）。

このように、英語を出発点とすると、一方においてはゲルマン語群に、他方においい

てはロマンス語群の両方にまたがる橋の上に立っているような有利な点がある。

英語の辞書にのっている単語のうち、約五十パーセントはフランス語からはいってきたもの、二十五パーセントはラテン語から直接取り入れたものである。

つぎに、ルーマニア語の特徴であるが、そこは非ラテン民族に早くからとりかこまれ、ローマ帝国から切りはなされたまま独自の道を歩んできたため、それら隣接諸国から、語いの上での影響を少なからず受けたのである。さきほどの bogat もその例である（ロシア語 богатый [bogaty] チェコ語 bohatý）。

スペイン語、ポルトガル語に関しては、あの有名なムーア人によるイベリア半島征服支配の結果、多くのアラビア語がはいってきたが、アラビア人の生活制度に関係あるものがほとんどで、スペイン語やポルトガル語で書かれた学術的な香りのする書物には、かなり純度の高い、ラテン語直系のことばしか見当らない。

なお、ヨーロッパには、上に述べた三つの主要語群のほかに、インド・ヨーロッパ語群に属するものとしては、ボールティック（ラトビア語、リトアニア語）、セルティック（アイルランド語、ウェールズ語、フランスのブルトン語など）、ギリシア、アルバニア、アルメニアなどの語群ないしは言語がある。非インド・ヨーロッパ語族に属するものとしては、フィノ・ウグール語群（フィンランド語、エストニア語、ハンガリー語)、バスク語がある。

これまで、英語から他国語にはいる有利さを説いてきたが、スラブ語群なら、入門書や諸条件に照らしてロシア語からはいるのがよいであろう。ある語群に属する一つのことばを習得した人は、その語群の他の諸言語を学習する際、われわれがはじめて英語を勉強したときに経験したいろいろな問題(むずかしさ、奇異さなど)に悩まされる心配がぜんぜんなく、たいへん愉快な仕事であることを、無条件で保証する。

Ⅳ

体験的速修術29項

1　どんなことばも、まず「入門書」から

ある国語を自分のものにしよう、と決めたら、その語の「文法書」から読みはじめたりせず、やはり「入門書」からはいるのがよい。

その入門書は、あまりくわしすぎるのは感心しない。だいたい、百五十～二百ページそこそこの厚さで、そこで使われている単語数も、千～千五百語程度のものが手ごろである。Teach Yourself シリーズ（発行 English Universities Press）などは、各国語を約千五百～二千語くらいでまとめてある。ふつう、中学三年までの英語が約二千語くらいであるから、その程度の実力をつけるのが入門書と思えばよい。

わたしがハンガリー語を勉強したとき、先生にすすめられたのは、たいそうぶ厚な入門書であった。単語は四千語くらい使われていて、例文も豊富であった。入門書といえば、それしかなかったのである。しかし、それではわたしの方式にあわないので、わたしは文法を書き直し、例文の程度を下げて読んだ。というのは、入門のときは、まずその語の性質・機能をとらえるために語いは少ないほうが理解しやすいからである。

入門書として手ごろか、重すぎるかは、だいたいその本の厚さで見当をつければよい。厚すぎるのは感心しない、というのは、厚すぎて、もたもたと苦労しているうちに飽きがきて、いやになってしまうのをおそれるからである。わたしの方式では、ある語を知りたいと思って取りかかったら、手っとり早く一週間くらいのあいだに、その入門書にいちおう目をとおすことを条件としている。要するに、欲求のさかんなときに、ざっと目をとおし、その語の鳥瞰図的展望をこころみるのである。このときは、いちおう読みとおすよう忍耐努力する。それができないようではお話にならない。目をとおすと、その語の性質なり特徴を、だいたい感じとることができるはずである。これは、知っている語の種類が多ければ多いほど、興味も多いし、らくであることはいうまでもない。

たとえば、フランス語にとりかかったら、フランス語の特性——動詞が複雑でたいへんらしいとか、名詞や形容詞には性、数の一致が必要なんだなというようなことがわかる。それはあらましでよい。また、その入門書との一週間のつきあいで、およそ三百～五百の単語はおぼえるはずである。第一次は、それで結構である。それが終ったところで、お休みにする。

あとはうるし塗り作業になる。

2　初歩の時代には、初歩の辞書を

なに語を学ぶにも、辞書は絶対に必要なことはいうまでもない。ことばは単語からはじまることは、赤ちゃんのことばおぼえの順序でもわかる。そして、その語を使う以上、辞書は、終生必要なものである。それは、日本人でも、そして日本文学の大家でも、日本語の辞書をはなせないのを見てもわかる。

ただし、初歩時代には初歩用の辞書がよい。この場合は、大は小を兼ねる、という考え方はよくない。大きな辞書は避けたほうがよい。第一、しょっちゅうひくのに、扱いにくいし、あまり複雑な訳語がついていると、どれをどう解したらよいか、まどわされることも多いからである。入門書程度の語がひける程度のもの、語数五千〜一万語くらいのものを、かたわらにおいて、常時ひらくのがよい。せいぜい中辞典程度のものがよい。

つまり、入門書時代には、入門以上の範囲にはあまり目を向けないようにする。だから、初めは、自分の学ぼうとする語→日本語の辞書だけでよい。たとえば、英語なら、ENGLISH-JAPANESE（英和辞典）だけでよい。

日本にその辞書がない場合には、新しく学ぼうとする語と自分の既得語の対訳辞書に頼るほかない。たとえば、わたしがトルコ語を学んだときは、トルコ語↓日本語の辞書はなかったので、トルコ語↓英語の辞書を求めて勉強した。英、仏、独、露、西、伊、中、羅などと日本語の辞典はあるが、あまり知られていない小国の国語の辞典は、「外国語↓別の外国語」の辞典をさがして用いるほかない。

そして、入門書時代を終り、もう少し高い程度の文法書を学ぶようになったら、大辞典を求めればよい。それはその後引きつづき勉強するのに役立つし、終生、用いることもできるであろう。

辞書というものは、はじめは読む本の一ページのうち十数語をひかなければならないかもしれない（次項を参照）。それをしだいに少なくしてゆくのは、なんともたのしく、また自己満足を得られるものである。だから、最初の辞書は、それがくたくたになるまでやっかいにならなければならない。それで、中級から上級に進むときは、必然的に二冊目の辞書が必要になるわけである。

また、作文をしたり、会話の練習をしたり、文通をこころみるようになったら、そのときはじめて、たとえば英語なら JAPANESE-ENGLISH いわゆる和英辞典を求める。これをひいていると、日本語からその外国語の単語を知ることができる。それを自分の文の中で使うと、ただ単語として見たものより、より深く記憶に残るものである。

3　はじめての単語を絶対忘れない方法

はじめて出くわす単語は、ていちょうに扱ってあげなければならない。これから末ながく、一生おつきあいしていただく相手だから。

通常の成りゆきとしては、なにか読んでいるうちに知らない単語が出てくる。辞書をひく、という順序になるであろう。または、ある単語をひいたついでに、上下の項にも視線を移したところ、印象的な字面が目にとまり、それも覚えてしまう、ということもあろう。いずれにせよ、それからが問題である。すなわち、どうしたら五回も、十回も同じ単語を調べなくとも、一度で覚えられるか、という問題である。

第一に、ひいた単語から、すぐに目をはなしてはいけない。単語につくづくと見入ることである。どんなことばでも、印刷された単語は、どれをとっても固有の格好をもっている。その特徴から得た第一印象をだいじにする。

第二に、その単語の意味を考える。たくさんある意味のうち、まず、第一義だけを読みとり、頭の中で反復し、想像力をはたらかせながら、絵に復元しつつ、また単語に目を移し、さらにまた見つめる。そして、がまんできるかぎり長い間ねばる。
第三に、なん度か声に出して発音してみるとよい。しかし、ささやき程度におさえておく。そうしているうちに、その単語のスペルの特徴と意味とその音が溶けあってくる。

この方法をうまく利用すると、一度しか辞書で調べていないのに、その単語は、与えられた意味以外もち得ないように感じられてくる。すなわち、単語はすべて一種の擬声音として覚えられるのである。ここに漢字のような象形文字と表音文字の覚え方のちがいがある、ともいえるのではなかろうか。

さらに、できれば単語を単語そのものとして覚えるほかに、文章や会話における生きた姿でとらえることが必要である。

たとえば、英語の場合、place ということばを、place と覚えるだけでなく、一つのイディオムとして……in place of……として覚える。

イディオムにならない語は、例文などの文ごと覚える。

たとえば、walk という語は walk だけでなく、I walk home と覚える。そうすれば、その単語の使い方がわかるからである。

4　最初の千五百語の暗記はていねいに

外国語を学ぶ場合、なによりだいじなのは単語を知ることにちがいない。しかし、ある国語の単語を全部知るということは、その国語の学者でも数えるほどしかいないのではあるまいか。われわれはふつう、その国語による古典から現代に至る文学を、征服しつくそうとして外国語を学ぶものではない。なかにはそういう人もいないではあるまいが、ふつうはもっと現代生活の実用のために学ぶことが多いにちがいない。われわれが学び初めに知っておくとよい単語数を、わたしはだいたい千〜千五百語と考えている。千五百語知っていれば、たまに辞書のお世話になるだけで、たいていの文章は読めるし、いちおう会話もできる。

その語を国語としている人々が、日常生活で使う語数はせいぜい四千語どまりといわれている。より教養度の高い、いわゆるインテリ層の人々の使う語数は八千〜一万語くらいの範囲内であるそうである。

わたしは初歩の、いわゆる入門書時代におぼえる千五百語ぐらいの単語の重要性をここに強調しておきたい。これが一般にいう「基礎単語」「基本語い」である。この千五百語を自分のものにする態度がその後新しく覚え、ふやす態度につながるのである。最初の千五百語を正しく十分に実用できれば、新しく覚える語は扇をひらくように末広がりにふえる。それは乗数比例的に増加する、といっても過言ではない。だから、初心がたいせつなのである。

最初に単語をいいかげんに扱うと、単語は活動しないだけでなく、成長もしない。単語を自分のものとしてフルに使えるようになりたいなら、ていねいに覚えなければならない。それができないようでは、その外国語を自分のものにすることは不可能である。

そういう勉強のためか、外国語語学書の出版元から、「何語千五百語集」といったような参考書も出されている。しかし、そういう本は見ないほうがよい。そんなものを棒暗記しても実力はつくものではない。ただ失望に導くようなものである。むしろ、千五百語は自分が勉強した入門書から自分で選び出すべきである。

5　すぐ役にたつ五百の例文丸暗記

わたしがこれまで、多国語を話せるようになった経験からいって、最良の方法と信じているのは、基礎的な文章を丸暗記してしまうことである。

単語を覚えることもだいじであるが、実際に使う場合、単語は自分で組み立てなければならない。もちろん、上達すれば自由自在に組み立てて、自分の思考や感情を表現できるようになるが、初歩的段階では、少なくとも五百文例くらいは暗記してしまうのである。

章句を暗記していれば、組み立ての苦労なしにそっくりレディ・メードを実用に供することができる。しかも五百の章句で、たいていの表現はまにあわすことができるのである。多少のおきかえの機転がきけば、まず、こまることは少ない、といっても過言ではない。

わたしはＡＦＳの留学生試験を受けるときに、五百章句おぼえていたため、非常に有利だった。それは例外なくわたしの血肉となり、百パーセント役立ったと思っている。だから、その後なに語を学ぶ場合も、入門書をみっちりアタックしながら、一方では最低限五百内外の章句を暗記することにしている。

では、なにから覚える章句を選ぶか、ということになる。それは入門書の例文でも結構である。

わたしがＡＦＳを受験するときに、英語のために覚えたのは、佐々木高政先生の

「和文英訳の修業」（文建書房）からであった。その後は入門書や文法書などから選んだが、文通を開始してからは、相手の手紙にあって自分にとってはめずらしい、よい表現は、生きた例として、たいていは暗記した。

6　ブロークンは敵

入門書をいちおうすませたら、それまでに知った実力を使ってみたい段階にはいる。話してみたいが、格好な相手を都合よいときにいつでもつかまえる、というわけにはゆかない。そこでペンパル相手に手紙を書いてみる、ということになる。

その場合、わたしは多少のブロークンを書いてもしかたない、と思っている。だから、ブロークンをおそれて尻ごみしているよりも、精いっぱいの努力をし、最善をつくして手紙を書いたほうがよい、と若い人にはすすめている。わたし自身そのようにしたからである。

しかし、ブロークンに不感症になってしまうことは、絶対に警戒しなければならない。初歩の手紙なら、信書の秘密ということがあるから、笑うのは受取人一人である。相手が親切だったら、そして、上手な人だったら、からかいながら指摘してくれるかもしれないし、自分自身成長してゆく段階で必ず気づくであろう。

例を文通にとれば、二十通以上の返事を出した段階では、もはやブロークンは、その人の恥であるし、その語についての自分の能力の停止である。

自分が、学んでいる語に十分に上達したいと思ったら、ブロークンは絶対に使わないように努力しなければならない。それには学習の各段階で、完全を目標とする精神を強くもたなければならない。具体的には、自分が読んで覚えているもの、あるいは聞いたことのある表現だけを使うのである。少しでも「あやしい」と思ったら、辞書で確かめてから使うぐらいの努力をしてほしい。

「意味さえ通じればよい」、「こんなふうにいってもわかってもらえるだろう」といった安易な精神がブロークン認容の初めである。「急ぐ場合、調べているひまがないから」という言いわけは許されない。それならだまっていればよいのである。ブロークンに慢性になると、もうブロークンも正確もわからなくなり、どっちでもよいということになる。それは語学上達を志すものとして、もっとも警戒しなければならない態度である。

単語は何千何万と知りながら、ブロークンを平気でいうような人は、正しく用いる人から軽蔑されることはいうまでもない。ビジネスマンだったら、相手に悪印象を与え、人格を疑われることにもなりかねない。けだし、人間はことばにデリケートなニュアンスをふくませて、はじめて真の意思を通じあうことができるものだからである。わたしはいつもそういう点に、人一倍注意している。わたしに相手の外人は「タネダはどうして完全にしゃべりたいのか？」とたずねたことがある。要するに、多少ブロークンでもかまわないではないか、というわけである。しかし、わたしはそれをしない。話しているうちに詰まると、わたしはだまってしまう。その方が身のためだからである。

そこでその外人は、他人にわたしを紹介するとき「この人は絶対にまちがわず、正しく話す人だよ」といつもつけ加えてくれるのである。

わたしは正しく話すものでありたいし、そうあるのが、その国語にたいする正しい態度だと信じている。

7　単語集より自製のメモで

「豆単」（旺文社）など、単語集を頭から暗記するのは、もっとも非能率的な方法である。単語が覚えられないうえ、時間と労力の浪費である。単語集で語いを増すことのできる人は、その能力を、むしろ詩の暗記にでも向けたほうがよい。

単語集の使い道は一つしかない（しかも、ここでいう単語集とは、頻度、意味、内容からくる重要性などに照らしあわせて、科学的に選ばれた単語を、良心的に編集した単語集のことである）。それは、千五百語集、三千語集、五千語集など、見当をつけて選んで、パラパラとページをめくってみて、だいたい自分は何百語、何千語くらい知っているかを知るのに役立たせることである。

しかし、自分は何千語、何万語知っているといったところで、せいぜい大学受験生の気休めになる以外、およそ意味のないことである。

なお、参考までにつけ加えておくが、わたし自身、高校時代によく同級生と競争して、「豆単」の丸暗記に熱中したことがあるが、どうやらよいものにはありつけなかったらしい。いまでももっている赤表紙の「豆単」でおぼえた単語のうち、十年以上たったいまになっても、実際に会話でも、書きことばでも出くわしたことが一度もないものが、実はかなりある。たとえば、その「豆単」の編者は、Xの欄にX-ray一つしかないのは格好がわるいと考えたか、xylophone（木琴）などという単語を入れていた。

シャニムニ単語を頭にたたきこもうとすると、頭のほうで抵抗をおこす。この抵抗力はおそろしいもので、いったん、いくつかの単語を覚えてしまったと思っていても、いつのまにかきれいさっぱり、追いだされてしまっていることがある。

では、どうしたらいいのだろう?

ちょっとしたくふうが必要である。頭の内部からの要求により、単語が吸いこまれるような方向にもってゆくのである。それにはまず、小さなメモ帳を用意し、いつもポケットに入れて持ち歩くとよい。そして、

①どんな場所でも、どんなときでも、これはたとえば英語ではなんというのだろう?こういう内容のことは、英語ではどう表現すればよいのだろう? と疑問を出してみる。
②本屋で立ち読みしたときに出くわした単語、表現法などで気にいったもの、気になるものなどがあったら、すぐその場で、手ぎわよくメモ帳にノートする。そして、家に帰ったら、その単語を徹底的に調べる。

①の場合は、かなりの好奇心が要求される。しかし、われわれの日常生活からくる刺激が生む好奇心には限度がある。たとえば、自宅から学校に向かって歩く間に、見

たり、聞いたり、話したりする事物はたかがしれている。だから、ぜひすすめたいことは、日常の言語生活において話題にのぼる事物、概念のうち、その意味から考えて重要と判断するものが出てきたら、すぐ、それは英語で、フランス語で、ドイツ語でなんというのだろう？ と自問する習慣をつけることである。

②の場合だいじなことは、一度見かけた、あるいは聞いた単語が気になってしようがない、という方向にもってゆく。あたかも、いつも出はいりしている喫茶店に、ある日突然、とてつもない美人が現われたら、「いったいだれが連れてきた、どこのだれだろう？」と気になるように。

8　会話の第一歩は「ひとりごと」

「話す」ということは、「読む」とか「書く」というのとまったく別の作業である。日本の外国語学習では、読み、書くことに主力を注ぐ傾向があるので、せっかく外国語を学びながら、話せない人が多い。

明治・大正の、外国文化摂取時代とちがって、国際交流がひんぱんになった今日では、話すことに主力をおかなければならないことは、だれもが痛感していることであろう。もはや手紙の時代ではなく、電話の時代なのである。

入門書によって、受身の学習時代を終ったなら、順次それを活用する学習にはいらなければならない。そこで話し方のけいこ、ということになる。もちろん、机上で書く作文の練習も、話すことにつながらないことはないが、書くことはできても、話せない人はたくさんいる。これは話し方の要領だとか、ことばの置き換えだとか、発音だとか、いろいろな要素が加わるからそういうことになるのであって、話ができるようになるためには、まず第一に、話しなれることである。そのために、会話学校とか、外人との交際とか、いろいろな実習法がとられている。それらについてはまた別に説明するとして、わたしの会話独習法を説明しよう。

相手を求めて話の練習をすることはよいが、これは相手なしの練習法である。

たとえば、人は家を出て学校なり、会社なりに行く。その途中、学習語で質問し、学習語で答えるのである。つまり「ひとりごと」である。もちろん、声に出して歩いていると気狂いとまちがえられるおそれがあるから、頭の中で「ひとりごと」をいうのである。

「今日はだいぶ寒くないか？」

――さよう、今日は寒い。

「人が多いのは月曜であるためか？」

――お祭りがあるらしい。

「あそこにいる娘は美人だな」

――彼女は女子大生である。

「この匂いはなんだろう？」

――ここはパンをつくっている店だ。

材料は無数にある。見えるもの、聞こえるものを、なんでも使えばよい。

学習語で考え、学習語で自問し、学習語で自答するのである。それによって、おしゃべりの自信をつけ、表現法を身につける。入門書で覚えた語数で、たいていは意思表示できるはずである。自分の知っている単語を総動員して、妥当な単語を知らないときは、ことばの置き換えによって表現する方法を会得する。どうしても言えないとき、また言えたと思うが疑問があるときは、メモ帳に書いておいて、帰ってから正当な表現法を調べる、という方法をとる。

これはたいそう役立つ学習法である。むしろ、友だちなどを相手に話し方の練習をし、言えない、あるいは言いにくいことをなんとか言って、たがいにむりに推定でわかりあい、そのまま流してしまうより、疑問をもち、調べることによって是正し、定着する方法のほうが、はるかに効果的である。それによって十分自信が得られるものである。また、会話学習だけでなく、それまでに覚えたことを活用して復習する、という効果もある。

わたしは、現在でも、仕事で明日はドイツ人と話すというときには、その前日自分の室で、声に出していろいろドイツ語でひとりごとをいってみることにしている。ウォーミングアップに大いに役立つからである。

9 効果絶大、落書のすすめ

落書(らくがき)はたのしいものである。書くのも見るのも。それが便所の壁であれ、お寺の柱であれ。そして、アレの絵でもナンの文句でも。芸術作品というのも、要するに落書のすました発表ではあるまいか。

わたしは落書奨励者である。自由で孤独なその作業は、人間の表現のために、大いに奨励する価値があると信じている。ところで、語学もまた表現の技術を習得する勉強である。だから、落書をこれに利用しても決しておかしくはないのである。

わたしは机の上に、いつも白紙をひろげておく。そこにいつでもまめにメモをとる習慣がある。電話を聞きながら、片手はエンピツをもって、紙上になにか書いている。人と会って話をしているときも同じ。一人でいるときは自分相手に空想したり、思いだすままに、単語や文章や絵を書いている。これがわたしのいう落書である。わたしの経験からいうと、これは習慣になると、そうせずにいられなくなるもののようである。幸か不幸か、わたしには便所の芸術家的習性はないが、自分の机の上の紙にたいすると、ひとりでにエンピツを手にするくせがついている。

わたしがこの落書の習慣をすすめるのは、語学勉学者にとって、これはスペルの認識に強くなる適法だからである。とくに綴りと発音が自然と結びつきにくい英語、デンマーク語、フランス語などには、これはかなり効果がある。そればかりではない。書いて見つめていると、その文字に愛着さえ感じるようになる。また、スペルと発音のちがいにも気づく。そういうふうにして文字を覚えると、聞いたことばをすぐ文字化することができるようにもなる。

もちろん、単語を書くだけではない。思いつくままに文章も書く。だから、この落書は、作文力にも通じるわけである。わたしはしばしば短い文章や詩を書く。一字一字ていねいに、できるだけ美しく書く。ある日は、ノルウェー語で雪の街の感想文を。あるときは、スペイン語で架空の恋文を。

わたしは落書は芸術に通じる、と書いたが、事実そう思っている。そこらの広告ビラのように書き捨て、読み捨てにするものではない。だから、わたしの落書は走り書きではなく、いつも清書である。わたしはそれを保存していて、ときにとりだしてみることもある。そこに自分の進歩のあとも見られる。

そうかといって、落書は落書なのだから、書道展出品のような気持で書くわけではない。自由で、気ままに、楽しく遊ぶように書くのである。しかも、学習上の効用性があるのだから、おすすめしたくなるのも当然であろう。

たとえば、長い単語のスペルなど、見て覚えるより、書いて覚えたほうが手っとり早く、また確実である。さらに書いていくうちに、接頭語―語幹―接尾語の組み立てもはっきりわかる。

わたしのデンマーク語は、この落書の効用によって会得したものである。ほとんど勉強らしい勉強はしなかった。というのは、デンマーク語はスウェーデン語によく似ている。それに気づいてから、ひまをみては既得のスウェーデン語をベースにして、スペルをデンマーク語におきかえる遊びを始めた。スペルを変えながら新しい架空の単語をつくり出し、辞書であたったところ、その言葉が実在していたという経験さえある。とにかく、疑問に行きあたったら辞書をひいて正しくする。その遊びをつづけているうちに、自ずとわたしはデンマーク語を会得したのであった。

10　四回の「うるし塗り」作業で完全征服

お休みといっても、放りだすのではない。語学的勉強だけ中断するのであって、その語についての関心は持続する。そしてその間には、その語を国語とする国の大使館などに連絡をとって、その国の新聞、雑誌などを見せてもらったり、その国関係の美術書や観光案内書、さては地理、風俗書などを見てたのしむ。そうしてその国柄や風物に接する。

そんなことをしているうちに、それらの解説を読んで理解したくなったり、その国の人々の使っていることばをもっとよく知りたい、という欲求が起こってくるものである。

そこで第二次の勉強——わたしのいわゆる知識のうるし塗り作業がはじまる。

そのときも、第一次のと同じテキストを用いればよい。それをこんどは初めからみっちりと、完全に掌握するように精読するのである。

わたしの体験では、興味につられ、あるいは根気よく読みとおしたこともあり、二十～三十ページくらいでスランプにおちたこともある。スランプにおちたり、いや気がさしたときは、むりをすることはない。どうぞお休みください。

これを箇条書きにすると、つぎのようになる。

第一次＝全体把握のための通読（ガンバリたまえ）。そして休憩。

第二次＝精読。いや気がさしたら、休憩。

第三次＝また初めから精読（このときは、少なくとも第二次のときの倍はゆくはず）。そしていや気がさしたら、休憩。

第四次＝またまた初めから精読。そしてついに征服。

わたしはたいてい四回で征服した。時間的には約半年くらい。しかし、ことばによっては、また人によっては、第四次が第三次の繰り返しになり、第五次でようやく完了することもあるだろう。

第五次が第六次になっても、根気があれば話は別だが、それくらいやってもどうしてもいやだったら、降参することにもなろう。縁のないものとして、片ことを知った程度であきらめるほかない場合もあろう。

なにものもあなたに強制するわけではない。あなたは、自分の性向にしたがい、たのしく学べばよいのである。

この間に得るものは、その語の初歩文法の理解と二千語程度のボキャブラリーである。

スタートとしてはこれで十分である。

それからは、辞書を片手に、より高度の文法書を相手にすれば、自動的に上達してゆくはずである。

11 「少しずつ毎日」よりは「ガムシャラ→休み」方式

「少しずつでも毎日」――という行き方は、もう時代おくれである。

ウサギとカメの話がつくられた時代には、人々は即自然的な生活しかできなかった。自分でくふう発明した手段に、自分の生活を牛耳ってもらえるようになった現代とは、およそ様子がちがっていた。そのため、いまなら目ざまし時計なり、タイムスイッチなりを用いて、昼寝を中断することができるのに、それができなかった。だからウサ公は、寝過ごしてしまったのである。

われわれの語学の勉強では、ウサギ方式でのぞんだほうがよい。ただし、大きなベルのついた目ざまし時計をもって。

ムチャクチャに勉強して、完全にアキアキしてしまうところまでゆく。一日に八時間、首っ引きで入門書なり、読み物なりに没頭する。三日坊主に終ってもかまわない。やったことは、なにもかもすっかり忘れてしまってもかまわない。

では、時間のムダになるではないか、と文句がでるかもしれないが、決してムダにはなっていないことを保証する。プロセスとしては、新しい語学ないしは新しいものという「ショック」に対して、頭を免疫にしたわけである。

さて、けん怠期が到来しても、のほほんと遊んでいてはいけない。せっせと楽しいことに励むべきである。講談社の世界美術館シリーズだとか、平凡社の世界文化地理大系、実業之日本社のブルーガイド海外版などのきれいなページをめくりながら、どんな人間が、どんな顔をして、どんなことばをしゃべりながら、かくも美しい国で、すばらしい文化を生みだしたのであろうか……などと考えながら、写真に見入り、説明を読むこと。そうしているうちに、必ずや、また、あのアキアキした本をあけて見、すべてを見なおす意欲が湧きあがってくるものである。

あとは、くり返しである。そして、この「刺激剤」がタネぎれになったら、その国の出先機関（各地にある大使館、領事館、文化センターなど）に出かけるなり、手紙を書くなりして、なんらかの刺激を求める。国のPR材料、雑誌、さらにペンパルの名まえ、住所などに手をのばしても、決して早すぎることはない（国際文通の項（13項）参照）。

最後に、この「集中→中休み→集中」の底力を示すたとえとして、台風下のビル（ある国のことば）のことを考えてみよう。秒速四十メートルの風でも、風力に変化なく、四十メートルで均一にびゅうびゅう吹きまくられても、ビルはびくともしないであろうが、四十メートル、五メートル、四十メートルと、ビルの抵抗力に息をあわせて体当りされると、ビルは割合にたやすく倒れてしまうそうである。

語学の勉強につきまとう、いわゆる「困難さ」を克服するに当たっても、まったく同様の理屈が成立することは、だれにでもわかっていただけよう。

12　偶然の上手な活用法

わたしは本を買いに街の書店に行く。金を払って、ほしい本を包んでもらう。わたしは決してそのまま帰りはしない。

わたしは本棚のあちこちをのぞいてまわる。わたしに関係があり、わたしの興味をひく本があったら手にとってみる。これは、ころんでもただでは起きない精神であろうか。たしかにわたしは、せっかく書店に行ったチャンスを利用したいのである。

あなたはこういうことはないか。——ある日、焼イモを買ってみたくなる。焼イモ屋が入れてくれた古雑誌で作った袋をひらき、焼イモを出してたべながら、ふとその紙袋の古い記事に目をひかれる。偶然があなたの目にふれさせたその記事を、夢中になってあなたは読みふける。

これはどういうことなのであろう。ずっと前のその記事が、きょう発行された週刊誌の記事よりもあなたをひきつけるということは。そしてそれが案外、実におもしろいということは。

わたしはそういう偶然の信者なのかもしれない。たまたまその日書店に行き、たまたま目にふれ、手にとった書物をひらき、その半ページでも読みとおす。ふと見た本から、いくつかの単語を覚える。

ところで、そういうふうにしてカジュアルに読んだものは、奇妙に頭にしみつくのである。強制されない、自由な気持で、吸いこむように摂取した知識だからかもしれない。わたしはそういう読み方も、ばかにならないと思っている。

アメリカに留学していたとき、先生がだれがいちばん長い単語を知っているかと聞いた。答えたのは、アメリカ人の学生ではなく、日本人のわたしであった。

antidisestablishmentarianism

これをわたしは、ある日偶然、書店で立ち読みした本で覚えていたのである。

わたしはついでに雑誌を手にとって、一つや二つは、ペンパルの住所氏名も覚えて帰ったこともよくある。

要するに、語学をやる以上、それに関係あるすべてにたいして、そのくらい貪らんな知識欲をもつべきである、とわたしは言いたいのである。

13　楽しみながら上達できる国際文通とテープ交換

その返事がきたときのうれしさ。世界中にいっぺんに電灯がつき、世界中にいっせいに花が咲いたように、わたしはうれしかった。中学二年のときはじめてわたしが英語で書いて出した手紙にたいして、わたし宛にはじめてアメリカ人から英語の返事が届いたのである。自分の能力が通用すると知ったよろこび、自分を外国人が一人前と認めてくれたと知るよろこび……万感(ばんかん)胸迫る、といったうれしさであった。手紙を出してからずいぶん日かずがたち、もう半ばあきらめかけていただけにうれしかった。

あのよろこび、はじめて自分の力で、外国語の手紙を書き、はじめて返事をもらった人が、だれしも感じる絶叫的歓喜であろうと思う。

ふつう、入門書をいちおう修了したころ、手紙を出してみたくなる。実力ためしのために。もちろん、いっぽうではブロークンで軽蔑されはしないか、とためらいながら。

しかしわたしは、自信に欠けるところはあっても、実地習練のために出してみられるようおすすめする。ただし、早くそのブロークンに気づき、厳格に修正するよう努力する、という条件づきで。

最近、国際文通は非常にさかんになっている。語学雑誌、たとえば、ユース・コンパニオンなどには、その紹介欄が特設されているし、郵政省には「郵便友の会」があり、「国際文通週間」などの催しもしている。そういうものから選べば、いくらでも文通相手は、世界のどこにでもさがし出すことができる。

また、自分の希望する国の新聞に相手を捜してくれるよう頼んでも、世話をしてくれることがある。わたしは以前に、デンマークの新聞社にそういう手紙を出したところ、それが経済専門紙だったらしく、その社から一般紙にまわしてくれて、ペンフレンドを得た経験がある。

また、文通相手は、なにも外国在住者にかぎったものではない。日本在住の外国人でペンフレンドを求めている人も、日本で発行されている英字新聞にしばしば出ている。そういう人と文通するのも楽しいものである。一方が都会に住み、他方が地方に住んでいて、たまに会うなどわるくない。

文通をする場合、語学のためであるときは、注意しなければならないことがある。それは必ず用語を母国語とする人を相手に選ぶことである。フランス語を学びたい人が、フランス語で文通する際、フランス語のできる英人が相手では無駄である。どうしてもフランス人でなければならない。同じ意味で、日本人同士がフランス語で文通するというのも、全然無効とはいわないまでも、語学学習の点ではたいした効果は期待できない。

文通を望むと発表した場合、数人の相手から手紙をもらうことがある。そのすべてと文通をつづけることは、時間的にも経済的にもむりであろうから、相手をしぼることになる。文通語を母国語としない相手をまず除外することは先に述べたとおり、その残りのなかから、自分と趣味、思想の共通、年齢の相似などを条件に、なるべく異性のフレンドを選ぶのがよい。

文通をはじめ、二十通くらい交換したころには、だれでもたいていのことは書けるようになるものである。そうなったらもう、ブロークンは書かないように自分をきびしく訓練しなければならない。いつまでもブロークンばかり書くのは恥だからである。受けとる手紙は、できたらタイプで打ってもらうほうがよい。タイプをもたない場合はもちろん手書きでよい。いずれにしても、勉強のためには、ちょっと面倒かもしれないが、複写をとっておくとよい。それと相手からきた手紙は、きちんと整理して保存する。

受けとったとき徹底的に読むことはいうまでもないが、後からも、ときどきとり出して読みかえすことである。そして、その語を母国語とする人々の使い方の特性を会得するようにしなければならない。しかし、先方は母国語とする人だからといって、こちらの文案の添削をたのむことは意味ないから、よしたほうがよい。先方は教育者ではないはずだし、リモコンでは効果がないからである。

文通は、その内容がつまらなくなると、まのびし、ついには中絶することにもなる。だから、共通のトピックをいつも豊かにしておくよう心がけなければならない。それには、季節と地理の関係、独特の風俗や行事を知らせたり、プレゼントを交換することである。プレゼントといっても、大げさな金目なものである必要はない。むしろ、単純でしかも興味あるもののほうがよい。たとえば、写真、絵はがき、切手、新聞、雑誌、小さい人形、押し葉、折り紙など、いろいろあるはずである。

近ごろ、テープによる声の文通もさかんになっている。これはもはや作文ではなく、会話になるが、先方の声を直接聞き、話し方を覚えられるのはうれしい。テープはなにもその人の声だけでなくとも、たがいの住んでいる街の音でもよいわけである。ただ、テープの場合、注意しなければならないのは、双方の電圧、サイクルを知らせあうことである。そうしないと、いきなり浪花節（なにわぶし）のような声がとびだしてびっくりさせられることがある。アイスランドとのテープ交換で苦い経験をしたことはすでに第一編で述べた。

14　映画館へはテープレコーダー持参で

はじめのうちは、映画を語学の学習手段と、原則的に考えてはならない。たとえば、映画館を意識的に「ヒヤリング練習の場」として利用しようとすると、肩がこるばかりか、頭まで疲れてしまう。むしろ、作品の製作意図を素直に受けいれ、さりげなく、娯楽として鑑賞することである。

ポケット・マネーがゆるすかぎり、できるだけ多くの外国映画を見るのは結構なことである。そして、きれいな俳優、美しい風景に見入り、音楽を聞き、スクリーンにかもしだされる外国情緒に思う存分にひたればよい。

そうしているうちに、いつのまにか、副産物としてヒヤリングのほうも上達する。おまけに、その国の風物にも親しみを感じるようになるものである。シナリオをがめつく暗記して見に行ったところで、期待したほどの効果は得られない。結局、あせりを感じるばかりである。これは、わたしも高校時代の経験で、しばしば味わったことである。

映画の字幕は、なるべく見ないようにする。どうしても見るくせのある人は、見てもかまわないが、目をいちいち字幕のほうに動かしていると、そのために、顔の表情だけで言っていることを見落としてしまう。それは、劇を見るためには、たいそう損なことである。

また、字幕を見ながらダイアログにとらわれていると、二十分もすると、頭がくたびれてしまう。しかも、字幕には誤訳や、誤訳でないまでも拙劣（せつれつ）な訳語もある。それで、字幕にたよりっぱなしでは、その映画の意図を完全には理解できないおそれもある。

映画論をもちだすわけではないが、映画は「動くイマージュの芸術」で、ダイアログ、エフェクトなどは補助的な要素にすぎない。画面だけでもストーリーを十分フォローするのが本質で、ダイアログなしでは全然ちんぷんかんの映画は、たとえダイアログはわかっても、すっきり感動できるような作品ではないのがふつうである。「三百円も四百円もだして、せっかく見に行く以上……」とお考えなら、そこにある、いわゆる名画座で、もっと安く、昔の作品をできるだけ多く見に行かれるようおすすめしたい。

ただし、珍しい国の映画が上映されるというような場合には、まれなチャンスであるから、別の意味で利用したほうがよい。すなわち、そういう場合には、テープレコーダーをもって映画館にもぐりこむ。そして、一度か二度見たうえで、とくに印象的な部分を録音してくることである。これは、わたしがしばしばやった「手」である。

このテープを、うるし塗り式に、わたしは何十回何百回と聞いた。そうすることによって、「門前の小僧習わぬ経を読む」ということが、百パーセント真実であることを、自ら確認したものである。

映画は、一本見るごとに、どれだけ自分にプラスになるか、というような打算をもって見るべきではない。さりげなく、最大限の効果をあげられるような見方もあるはずである。

わたしは、いま勉強していることばでセリフのはいっている映画がきて、それを見にゆくときは、事前にそのストーリーをできるだけくわしく読んで行く。映画館では、梗概を印刷したものをくれる。最小限、この程度のことは読んでから見る。ダイアログは内容のニュアンスよりも（わかる部分もわからない部分も含めて）、その音楽的な美しさに神経を集中し、それを背景に、画面とそのなかの動きについて、目を見はる。こういう心酔的な鑑賞をすると、その映画を見終ったとき、脳裡（のうり）に残る印象は、そのままそこで語られたことばにたいする情熱を、燃えたたせる燃料になる。

その結果、もう一回見なおしに行くこともある。こんどはカセット・テープレコーダーをショルダーバッグに入れて行く。そして、前回見たとき、とくに印象的だったシーンの会話のやりとりを録音する。映画館の造りにもよるが、たいていは、かなり鮮明に録音できるものである。なぜ印象的なシーンを選ぶかというと、あとで録音を聞くさい、その会話のやりとりのシーンを思い浮かべて聞くほうが、より効果的だからである。

ある程度自信がついていることば（一年から一年半くらい、効果的に勉強し、辞書を片手に新聞が割合らくに読める程度になっていることば）は、映画を見ることによってさらに進歩する。また、語学力を維持するために、映画はうってつけの手段となる。この段階までくると、そのことばの知識は、扇状に展開してくる。つまり、半自動的に進歩していくものである。効果的な学習手段としての映画の利用は、実は、この段階になってはじめて重要な意味をもってくるのである。

映画がことばの普及に役立つ有力な手段であることは、どこの国でもラジオ、テレビとならんで、標準語の普及に一役をかっていることを思いおこせば、十分納得できるであろう。大いに利用すべきものである。

編集部注：映画館内での録音は著作権侵害にあたり、現在ではこの方法は実践できませんので、ご注意ください。

15　会話学校にご注意

外国語を学んでいると、それを使ってみたい、そのために、早く上達したい、と思うようになる。それは必然的要求で、結構なことである。

そういう人たちのために、いわゆる各種学校として、外国語の学校がある（日本では、これまでのところ、英米語、仏語、中国語などのそれが多い）。とくに「会話」とつけているのもあるし、学院、センターなどと称しているのもある。主体は、外人教師がいて、会話を中心に外国語を教えるものである。形はそれでよいのだが、中味が問題である。だいたいにおいて、この種の各種学校には、「教育学」を心得ているような先生はほとんどいない。たいていが、その道の専門の経験者とかベテランといった人々である(料理学校など)。外国語学校に至っては、外人というだけで、とても教師の資格はないと思われるような先生もいる。ひどいのになると、適当な外人教師がいないので、まにあわせにヒッチハイカーを教壇に立てているところもわたしは知っている。それほどでなくとも、たとえば、外人というだけのことで、ドイツ人が英語を教えているところもある。これではだめである。耳から生きた英語を学びたいなら、英米人から学ぶべきである。フランス語ならフランス人から学ばなければ意味はない。そうでないと、結局はブロークンに免疫になるだけのことだからである。

日本人は外人といえば、どこの国の外国語でもできるものと単純に決めている。もういいかげんにこういうメクラ崇拝、盲目信頼は終止しなければならない。その盲点をつかれて、インスタントの代用教師に月謝をしぼられ、とりかえしのつかない下劣外国語にならされてしまうからである。

もちろん、会話学校に行って会話に上達し、通訳になれた、という例はあるであろう。しかし、それはただことばが通じるというだけのことではあるまいか。外人から、あなたのことばはりっぱだ、とほめられることは、まずないであろう。

だから、会話学校などを利用しても無駄だ、とはいわない。格好な外人の知りあいを得られない人、外国語で話すのを実地で知りたい人などは、ある期間、そういう学校に行ってみてもよい。しかし、それだけで十分とはいえない。そういう学校を過大評価せず、勉強はあくまで自分でして、はっきりした自主性をもって通学するようにすることである。

話は少しちがうが、最近は教育ママが、子どもに英語の早期教育をすることも流行しているらしい。たしかに、幼少から必要外国語に親しませるのは、わるいことではない。その場合、注意しておきたいことは、勉強させるなら、よい学校を選ぶことである。理想をいえば、個人教授または家庭教師に学ばせることである。

わたしがアメリカにいたとき、ある家庭で四歳の子どもに、別々の人から四カ国語を学ばせているのを見た。その方法は、それぞれの国からの留学生である家庭教師が、その子と半日、その外国語を使って遊び暮らすのであった。これは効果的である。どうせ外国語を学ばせるなら、机に向かわせるより、そのくらいの方法をとるようおすすめしたい。

16　あなたが気づいていない外国語放送

ラジオで聞ける海外からの短波放送は、語学勉学者にとって、ありがたいものである。

わたしは北海道の網走にいたころ、苦心して自力で三球の短波受信機を組み立てた。それに音声がはいってきたときのうれしさ。それはわが少年の日の忘れえぬ思い出の一つである。

わたしは自分で作った三球受信機で、朝鮮語やロシア語の放送を聞いた。ロシア語放送はシベリヤから送られてくるものらしかった。後にはＶＯＡ（ボイス・オブ・アメリカ）も聞いた。これは英語の勉強に大いに役立った。そのころ、朝鮮語やロシア語がわかったわけではない。アメリカ軍放送にしたって、ほとんどわからなかった。しかし、聞くのである。わからなくともかまわない。そのことばの音声に耳を露出させておくことが、将来、その外国語の音声的特徴をよく理解するのに役立つにちがいないからである。

偶然はいってきた音声が、なに語かどうしてもわからないこともある。しかし、それを十五分以上も聞きつづけているとコールサインをいうから、そのときその語がなに語かを推定することができる。現在日本で聞けるのは、英語、中国語、ロシア語、ヒンディー語、ペルシャ（イラン）語、アラビア語、ルーマニア語、チェコ語、ドイツ語、フランス語、スペイン語……などの短波放送である。

中国語は北京放送、朝鮮語は北鮮と韓国の両方、ロシア語はシベリヤ、カラフトからの放送が、NHKの放送を終ったころの時間から中波でもはっきり聞こえる。日本の海外向け放送は、灯台もと暗しで、放送局付近では聞こえず、北海道や九州だけで聞くことができるようである。

その他の放送を聞きたかったら、その語を国語とする大使館に、キャッチできる放送局名とその波長は何メガサイクルかを問いあわせてみればよい。それにしたがって、自分の受信機で聞くことができたときは「何月何日に、何放送を受信した」という受信報告を、その発信局に送れば感謝のしるしとしてベリーカードとちょっとしたおみやげを送ってくれる。わたしはかつてモスクワ放送を受信したとき報告して、レコードとペンダントを送ってもらった記憶がある。ある放送局からはきれいな絵ハガキをもらったこともある。

日本では、英語がさかんだから、当然、英語による放送に関心をもつ人が多いであろう。

わたしがもっともすすめたいのは、NHK第二の英語ニュースである。これなら入門書を六カ月やった程度の人でもほとんどわかる。正しいイギリス英語（いわゆるキングズ・イングリッシュ）で、毎日の出来事をアナウンスしている。われわれが内容的に知っていることだから、聞きとりやすい。ほんとうに常用している、いわゆる本場のことばを、洗練されたアナウンサーの声で聞けるのだから、うれしいかぎりである。

これらの外国からの短波放送を聞くなら、冬季には六〜十二メガくらいのバンドがよくはいるが、夏季には高い周波数がよいことをつけ加えておこう。北京放送の海外向け放送は、あなたが寝ているとき、つまり午前三〜五時ころ、もっともよくはいる。

17　テープレコーダーを活用するには

テープレコーダーは、くり返しくり返し、その音に完全になれるまで聞くことである。一度聞いて、そのままでは効果はない。一度では聞きとりにくくもあるし、聞きおとしもあるからである。完全に語感をキャッチするまで、あきずに聞くようにしなければならない。

テープを作るには、その語を母国語とする外国人に吹きこんでもらうのが理想である。読む材料は、教科書、新聞、雑誌、小説類なんでもよい。

わたしはギリシア語を勉強するとき、その外国人をさがすのに苦労した。日本には身近にギリシア語を常用する人はほとんどいないからである。思いあまったわたしは、ギリシア大使館に英文の手紙を出して相談してみた。

――わたしはいま、ギリシア語を勉強したいと思っている。その発音を聞きたい。五分くらいでよいから、その録音をしてくれる適当な人を紹介していただけないでしょうか。もしおられましたら、早速東京に出かけてもよいと考えております。

こういう意味のことをてい重に書いた手紙を北海道から出したのである。これにたいして大使館では、早速、ギリシアからきている留学生の方を紹介してくれて、わたしは目的を達することができた。それを使ってギリシア語の発音を学んだ（ただし、この例は、自力でどうしても適当な外国人をさがしだせない――日本にきているその国の人が少ない――場合だけの特例で、少し努力すれば自分でその語を常用する外国人をさがせる場合には、大使館には迷惑をかけるべきではあるまい）。

ラジオ（ＦＥＮ）や短波を通してニュースが聞ける国のことばの場合は、それをテープに録音して、繰り返し聞いてもよい。

それもない場合——わたしがアラビア語やラトビア語を勉強したときは、困ってしまった。日本では直接その声に接することは、まず不可能である。そのときわたしはやむなく、自分でやってみることにした。まず、入門書の発音の説明をよく読み、そのうえで何か例文を録音しては、確かめてゆく。それを再生して聞く。そして、おかしいと思われる個所を修正して、改めて録音する。そのようにして、特殊音やイントネーションはあきらめ、最低限度の確実性に迫った。それで勉強した。その後、アラビア人に聞いてもらったが、なおされたのはアインの発音だけであった。

ポルトガル語の発音の場合は、ブラジルのサンバの歌を聞いて、その語感をさぐりだした。同じ例でいえば、イタリア語ならカンツォーネ、ロシア語なら民謡のレコードを聞いても、発音を知ることができるであろう。

道はどこかにある。最近は、映画（吹きかえしてない）やラジオのニュースからでも探すことができる。

18　オウムに学ぶ語学テープの利用法

録音された語学教材として、いろいろなものが売りだされている。ソノシート、レコード……など。昔の人の知らなかった、ありがたい便利なものである。これによって、機械的にではあるが、その国語の正しい生きた発音を聞くことができるのであるから。

発音というと、先生のおおかたは、自分が模範をたれて、すぐ聴講者に復誦させて「ちがう、もう一度」などとくり返している。しかし、あの方法はまちがっているとわたしは思う。

わたしはある日、近所の喫茶店で飼っているオウムにことばを教えてみた。ところが、オウム君は、わたしが繰り返してもなかなかまねしない。首をかしげて、わたしの声を聞いている。そして数回後にようやくわたしの声をまねた。それはわたしの発音とそっくりであった。

つまり、「オウムがえし」というのはウソである。オウムは十分に聞いて、体得してからはじめて発音する慎重な鳥なのである。

われわれが発音を練習するときも、オウムに学ぶ必要がある、とわたしはいいたい。あわててまねることはない。音になれるまで十分聞くのが先決要件である。幸いに、これらの教材は何回でも繰り返させることのできる器械なのだから。

もう十三年も昔になるが、わたしがはじめてスウェーデン語を勉強したとき、ようやくスウェーデン語で「シンデレラ」の話を録音したものを手に入れた。わたしはそれを少なくとも五百回は聞いた。だから、いまでもはっきりその音のままにその話を覚えている。それは、わたしにとって、永久的語感とでもいうものになってわたしの頭の中に残っている。そして、いまでもスウェーデン語を話すときは、脳裡にそれが浮かぶのである。

このように、まず、繰り返して聞くことをおすすめする。最初はその語音になれるだけでよい。音の特徴をつかむのである。その場合、音だけに集中したほうがよい。書く、見るは別のことで、それを同時にしようとすると分散して効果は弱くなるから。それもあまりいろいろなものを聞かず、最適と思うものだけを、すり切れるまでなん度も聞くのである。ストップすると、耳にその音が残っているほど聞く。それだけ聞けば、オウムではないが、そっくりその正調の発音をまねられるはずである。先生のいうのを聞いて、即座にそのとおりできないと不満がるのは、先生のほうがまちがっているのであって、あなたは繰り返し体得するまで黙って聞く努力をすべきである。

(ここでちょっといっておきたいが、系統的に編集されたものでも語学テープはヨーロッパ人向きで、日本人向きではない、とわたしは思っている。ヨーロッパ人同士なら語法の類似性によって類推ができるが、日本語はまったく別であるから、外国人が利用するように、すばやく利用できないからである）

中級以上の人なら、音を聞くだけでなく、もう少し内容的な勉強に役立てるのがよい。つまり、直接に表現力——聴解力、作文力、会話力などを強化するのである。また、趣味として、詩や文学作品の朗読や演説や演劇のせりふなどを聞くのもよい。それは教養と語学に同時に役立つであろうから。

レコードやテープによる歌も、語学の勉強に大いに役立つ。それは音感と同時に語感を育成してくれるからである。昔、わたしの中学の先生はクリスマスになると「サイレント・ナイト」という歌を教えてくれた。その後わたしはそれをレコードで聞いて、それは「サイレナイト」と発音するのだということを知った。レコードで歌をならうときは、発音を学ぶつもりで、自分でも歌ったほうが効果がある。

イタリア語の民謡やカンツォーネは、イタリア的ふんい気を感じ、イタリア語を学ぶのに大いに効果があるとわたしは思う。ヨーデルはちょっと困るが、その他の外国語、たとえばロシア語やドイツ語は子音（しいん）が多いので、歌から学ぶと意外に正確に発音できる。

わたしが、ロシア語を学びたいと発意したのは、高校時代の教師からと、モスクワ放送とでロシア民謡「バイカル湖のほとり」を聞いて、そのすばらしさに打たれたときであった。

19 ESS、英会話サークルは悪達者の集まり

ここでは、日本にもっとも多い英会話のグループ、またはサークルを例にとって検討してみよう（これは、フランス語グループでも、ドイツ語グループでも同じことであるが）。

同じくらいのレベルにある勉学者が、仲間をつのって会をつくり、励ましあったり、競いあったりするのは、いちおうよいことであろう。ただ、それを会員個人個人が、どのように受けとめるかが問題である。

わたしは、その個人が自分の知識に主体性を与えるためならすすめるが、安易性への誘惑が多いから、十分警戒することも必要である、と考える。

わたしも大学生であったとき、その大学のESSの一員として参加していた。しかし、しだいに仲間同士のなれあいから、高次元のブロークンをたがいに黙認するよう

になり、会の進歩も停滞し、全く全員が類似的になったのを知って退会した。これは真にその外国語を学ぼうとする者にとっては、危険な惰性だからである。

わたしが考える理想的な形態は、テキストをもち、読書なども併用するものである。それは、政治、経済、社会、歴史、地理、文学、美術、歌曲、映画など、幅広くその外国語の国の文化に目を向け、みんながあきないようにバラエティに富んだ企画で進められなければならない。会話のほうは、進歩の範囲内でおしゃべりしあうようにし、あまりむりな背のびはさせないようにする。あせって背のびするから、ついブロークンでまにあわせる結果を導くことになるからである。また、いつもドングリの背くらべのような、同類のおしゃべりだけでは、変に悪達者になるばかりだから、ときにはリーダーに指導してもらうようにする。たまには外部から講師または指導者を招けば、刺激にもなるはずである。そういう方法をとりながら、正しいイントネーション、発音、文法などを、たがいに励ましあい、たがいに是正しあって勉強すれば、ＥＳＳ的なものも大いに役立つと考えている。

悪達者な、独り合点の、うぬぼれた外国語おしゃべり野郎の集まりでは、意味なしである。

20 ラジオ・テレビ講座は入門書と並行で

ラジオやテレビで講座の設けられている外国語は、フルにその講座を活用したほうがよい。

現在行なわれている、あるいは最近行なわれたことのある講座は、英、仏、独、中、西、露語などである。英語は、日本の義務教育で教えているため、各級のいろんな講座がある。NHKのラジオの朝の講座などは、入門者に適当と思われる。この種の講座では、一定期間をおいて、その語を母国語として常用するゲストを迎えたり、いろいろな試みをして変化をもたせている。だから、あきずに聞きつづけることができる。

しかし、ラジオ講座も語学学習雑誌に似た性格のもので、それだけをたよりに語学をマスターしようと思ってもむりである。わたしは、フランス語などラジオ講座をかなり利用したが、本体としての学習はやはり、入門書で学んだほうがよい。ラジオ講座を聞くのは、書物だけではたりない部分を補足し、強化してもらうためと考えるべきであろう。つまり、自分で学んだことの復習的効果だけを期待すればよいのである。

だから、自分のほうの知識が、講座の程度よりもやや先行していることが望ましい。

自分は自分のペースで学習し、そのあとに講座を聞いて確かめるのである。

発音の練習のところでも書いたが、ラジオ、テレビでも先生が発音して、それを視聴者にまねさせる教授法がとられているのをしばしば聞く。あれをする必要はない。自分の声で放送を消さないためにも、先生の声は耳をすまして聞くだけでよい。

21　語学雑誌は復習用に

日本でも、語学関係の定期刊行物――月刊、旬刊、週刊誌が発行されている。いまあるのは、英、仏、独、中、露などである。中には、初級、中級、上級などと分けているのもある。これでもわかるように、おおかたは学習雑誌である。

「語学学習者は、これらの雑誌を読む必要があるか？　あるいは、読んだほうがよいか？」という質問にたいして、「条件づきで利用すればよいでしょう」とわたしは答える。

雑誌である以上、それは体系的に順を追って教えるものではない。だから、それをたよりにして、新しく一つの外国語に上達しようとするのはむりである。結局のところは、雑誌は、入門書なり学校なりで学んだ自分の実力を再確認するためだけのもの、つまり、副読本的な域を出るものではない。それをはっきり認識して扱うことである。むしろ、いわば雑誌特有の時事性だとか、イラストや写真、歌や詩をたのしむもの、と考えたほうがよい。あるいは、ペンパルとの共通の話題にすることもできる。

その種の雑誌を継続して読めば、二年目も同じことの繰り返しになる。変わるのは先に述べたようなものだけである。しかし、その本体の繰り返しは、語学力の血肉にはなるであろう。

以上、述べたことでもお察しのことと思うが、雑誌をそのように扱うためには、自分の実力はその雑誌よりもやや高度であるほうがよい。雑誌に背のびしてしがみつく格好になるのは好ましくない。批判的にたのしめる程度であったほうがよい。

22 覚えたことばをサビつかせないために

高校の三年以上になったら、辞書をたよりに原書を読みあさるようおすすめしたい。一般の人は、入門書を終り、ある程度基礎文法を知ったら、同じく辞書をたよりに、自分の趣味あるいは専門を中心に、その関係の出版物を読むようにする。そうすることによって、自分の学習語との接触を保ち、実力をひろげると同時に維持するのである。

その出版物を手に入れるには、いろいろな方法がある。たとえば、その語を国語とする国の大使館なり領事館に、自分はその語を勉強しているものだが、どういうものを読めばよいか、それはどのようにして入手できるかと、ていねいに問いあわせてみる。たいていは、その関係の資料を送ってもらえる。

そのほか、たとえば、酪農専門の研究をしている人なら、酪農に関する国際的団体をさがし、そこに外国文献はないか、と問いあわせてみるのも一法であろう（これらの場合に注意してほしいことは、最近の日本の若ものは礼儀知らずだ、といわれないよう、ていねいに礼儀正しい手紙を書くことである）。

それでなかったら、外書輸入の書店、たとえば、丸善だとか紀伊國屋とかナウカ、その他各種専門の輸入会社もあるから、そこに、自分の希望する新聞、雑誌、書籍などについて照会してみることである。カタログがあればカタログを送ってくれるであろうし、なければ適当な回答をしてくれるはずである。

出版物が各専門に分化していることは、日本の出版と異なるところはない。たとえば、建築関係としたら、大建築、住宅設計、インテリア、庭園……などいろいろあるであろう。スポーツ関係としたら、野球、フットボール、サッカー、水泳、さてはボクシング、レスリング……と細分化している。これはファッションでも、写真でも、歴史でも、社会でも、法律でも、経済でも同じである。最近の出版物はいずれもカラーの写真や絵がふんだんに掲げられているたのしいものが多い。そういうもので、おもしろく、たのしく、ことばのうるし塗り作業をしていれば、知らず知らずのうちに上達できるにちがいない。

その他、学習語のメインテナンスのためには、それぞれの項で述べたこと、たとえば、外国人との文通、その国の新聞・雑誌の購読、その国語の歌や映画に親しむ……など、いろいろな方法がある。つまり、その語を母国語としている人たちが、その文化に親しんでいるように、あなたもそれに接近し、親しめばよいのである。

23　海外旅行はムダ

外国に一年ぐらい旅行して、手っとり早くその国のことばに通じてこようなどとは、大それた幻想である。日本で外国語を勉強するよりも、その国に行って、直接に生きたことばを実地学習してくるのが、なによりだ、などというのは、とんでもない誤解である。

ことばは、十年くらいも定住するならともかく、一年か二年いたって、たちまち上達できるものではない。

外国旅行がわるい、というのではない。ただ、観光だけのためなら、見聞を広めるためにたのしく遊んでくるのはよい。語学勉強のために行くのはナンセンス、上達は絶対に期待できないというのである。その国語についての音感だけは、日本にいて学ぶよりもいくらかよいであろう。ただそれだけである。

その証拠が見たかったら、外国に駐在する政府役人や商社マンに会ってみるとよい。もちろんなかには親が外交官で、その国で幼年時代を過ごした、というような特例者もいるが、そうでない人々は、たいていはうまくない。それがすでに三、四年もいてたいしたことはないのである。その理由は、結局かれらが積極的でなく、仮の駐在、仮の用語以外のなにものだとも思っていないからである。基礎ができていないのに、答案の試験で学校をおえて、自信がないのに、任命され、なんとかなるだろう主義できているからである。もちろん、いちおう話はできる。しかし、うまくない。妙にその国語ずれしていて、正しいことばではない。文法などとは縁が遠く、ブロークンであろうと、意味が通じれば得意げに満足している。そういう人に会うと、語学学習には、基礎がいかに大事かをしみじみ考えさせられる。

三、四年もいてそれなのだから、一、二年のちょっとの間ではなにを得られるか。考えてもみられよ。

もし、短期海外旅行で、自分の語学のためになにかをプラスしてきたいと思うならば、十分な基礎学習をしてから行くことである。

こうして行っても、発音の疑問の解決、ニュアンスの会得、——要するに、自分の既得の実力の検証以外のなにものも期待すべきではない。改めて学ぼうなどとは、もってのほかのことである。

だからわたしは、語学学習目的だけの海外旅行はおすすめできない。

24 外人との交際は遅ければ遅いほどよい

外国人の友人をもっておれば、その外国語がうまくなるだろうと思っている人がいる。自分が学びたい語を国語とする国へ旅行すれば、その外国語に上達できるだろうと考えるのと類似の考え方である。要は、学ぶ人の心がまえの問題だ、といいたい。

心がまえさえしっかりしておれば、自分の学びたい語を使う外人を友人にもつことはたしかに有利な環境といえるであろう。しかし、ただ漫然とその外人と交際しているというだけでは、いつかは片言をしゃべれるようになり、言わんとするところは、どうにか通じるようになるであろうが、それは語学の勉強ということにはならない。戦後いた浮浪児でも、そのくらいのことはできたのだから。

日本にきている外国人は、たいした数ではない。その人々に近づきを得て、交際できたとしても、その人がどの程度の、どの種の人かも考えなければならない。その本国に帰ったら、そこではどんな職業をもち、どの程度の社会的地位にある人か。また、これまでにどんな教育をうけた人かを知ることも必要であろう。つまり、その人格、教養――その人の質を見る目をもって交際しなければならない。外人ならすべて高等と尊敬して近づくから、不良外人などにひどい目にあうこともあるのである。

語学の勉強のためなら、どんな人でもかまわない、というものではあるまい。やはり、人間としての親和性が先決要件である。外国人であるからといって、過大評価してはならない。誤ればうるところは、プラスよりマイナスのほうが多いことになるのも珍しくない。

わるい相手にぶっつかった場合ばかりを強調した格好になったが、そういう例を、あなたがたも多数知っていられるであろう、と思ったからである。

幸いにして、教養も高い人柄のよい人に近づきを得たならば、利用するというと語へいがあるが、その人から大いに学ぶことは結構である。しかし、学びうる限界があることも心得ておくべきであろう。できれば、趣味や職業を同じくする相手であることが望ましい。たとえば、写真でも文学や演劇でも、切手でも、なんでもかまわない。共通点をもって近づきを得た場合には、自ずと話題に窮することなく、長つづきするからである。また、家庭をもつ外人と近づきを得たならば、かれらの家庭生活を通じて多くのもの、風習や感情まで学べるから、より恵まれた状況を得られるであろう。そこで、生きたことばを教わることができる。

しかし、外人の友人、知己を得られないからといって、それほど不利ということはない。外人から学びとりたいと心がけるならば、外人の教える学校に行くこともできるし、それがつまらなければ、放送やレコードによって正しい、なまの声を聞き学ぶことだってできるのである。

わたしは最後に言いたい。もし外人と知りあいになりたいなら、それは遅ければ遅いほどよい、と。つまり、ある程度の基礎ができてからのほうが、正しく学びとれるからである。それができていないと、ブロークンで意思さえ通じれば、と満足するおそれもある。また、こちらのブロークンをいちいち修正することは失礼と考えるか、めんどうがるかで、いずれにせよ頼りにはならないからである。

25　ローマ字綴りの日本語を読んでもらう

あなたがもし外国人の友だちをもっていたら、その友だちに日本語をローマ字で書いて読んでもらうとよい。あなたはそれを、その語の特徴をつかむのに役立てることができるからだ。

たとえばKyotoと書いてアメリカ人に読ませると、たいていの人が「カイヨウト」と発音する。

Ikebukuroを読ませたら、「アイケバクロ」と読んだので笑ったことがある。

"Nihongo wa muzukashii desu ne"

「ネハンゴウ　ウァ　ムズウカシイデスネイ」

おなじことを、フランス人にいわせてみると、また変った読み方をする。それで、英語とフランス語の音のちがいがはっきりわかる。

「ニオンゴ　ヴァ　ミュズュカシイ　デズュネ」

ということになる。

"Anatawa Furansu go o hanashi masu ka?"

かれらは〈フランス語〉と読まず、「フュランスュ語」というように発音する。〈話〉は「アナシ」である。同様に〈ラテン語〉は「ラタン語」、〈パチンコ〉は「パシャンコ」ということになる。〈お元気〉は「オジャンキ」となる。なに語でも、この方法は、かなり発音の勉強にプラスになろう。

26 ぜひ身につけたい「アラさがし」の目

外国語を学ぶさい、批評精神は絶対に必要である。

日本人は人がよいというのか、他人の言動にたいして批判的な態度をとらず、そのままうけ入れるものが多いようである。それで、外人から、イエスマンなどといわれる。それは生活の面では、美しい態度とされることがあるかもしれない。しかし、こと学問に関するかぎり、それではいけない。きびしい批判力をもたないものには、出藍のほまれはあり得ないはずだからである。いいかえると、なんでも教わったまま盲目的に肯定するものには進歩はあり得ない。そればかりではなく、誤って教えられたものは、誤ったままに終るにちがいない。

わたしが、外国語を学ぶときには「アラをさがしてやろう」の精神をもて、というのは、ブロークン発見、ブロークン相反、ブロークン是正のためである。

日本人の中には、外人が話す外国語は、申しぶんなく正しいと決めてかかっている人が多いようである。とんでもないことである。日本人としてわれわれは、自分の知りあいの中で、完全な日本語を話す人を、いくたり知っているか考えてみるがよい。外国人の外国語にしても同じことである。

その外国語を英語と仮定してみよう。正しい英語を話す英米人だけが、日本に来ているわけではない。ブロークンを話す人も相当多い。わりあい教養の高い英米人でも、ブロークンで話すこともままある。ましてや、英語を母国語としない人が日本で通用する外国語として英語を話す場合、ブロークンがあることは当然と考えてまちがいない。たとえば、ドイツ人が英語で話すとき、かれらにとって英語は外国語である。それは日本人にとって英語が外国語であるのと、まったく同位である。同じ横文字という相似性があるというだけのちがいである。

それを外人が話す外国語だから正しいだろう、と早合点するのは早計である。かれらが話したことが理解できても、それをそのまま完全なものとして受け入れてはならない。同じく英語系ではあっても、アメリカ人の話す英語など、アラをさがせばアラだらけのことが多い。それを盲信して盲従するようでは、正しい英語を身につけることはおぼつかない。少しあやしいと思ったら、調べて、正しい表現を研究すること——そうして覚えたものは、正しく強く身につくはずである。

また、たとえ正しくても、まずい表現については、よりよい表現はないか、と研究する。それくらいの余裕をもって勉強することをすすめたい。

表現は形式だけのものではない。一元的に内容とぴったりであってこそ正しいのである。だから、ことばに圧倒されず、ことばを通して、内容のアラをさがすべきである。内容に適合した形式であってはじめて、その表現は完全といえるのである。

日本人同士で会話の練習をする場合も、意味がとれればそれでよい、とするようでは、進歩はありえない。ただ、悪達者になるだけのことである。ことばのニュアンスを聞きとり、話せるようになるまで、たがいに練磨してこそ意義がある。横道にそれるが、大学のＥＳＳで学ぶことはこの点できわめて危い。

アラさがしの精神は、会話の場合ばかりではない。人の書いた手紙などについても、同じく批判的に、疑問があったら徹底的に調べる習慣をつけること。そうして納得ゆくまで研究した正しいことは、これも自分の実力として身につくはずである。

最後に、わたしはただ単にアラさがしに終始せよといっているのではない。「アラさがしの目」で見て、すばらしい表現があったら、ありがたく自分のものとして教わるべきである。

27 多国語間の混乱をふせぐには

「何カ国語を知っている」とわたしがいうと、人はすぐ、「実際にしゃべる場合、よく混乱しませんね」と心配してくれる。

しかし、実は混乱しないのがあたりまえで、むしろ、混乱させられたら、一種の曲芸とでもいえようか。

日本語を話しているとき、わたしは、日本語的な音だけに窓口をしぼっている。そこには、非日本語的な音は混入してこない。radio をラジオといい、world series をワールド・シリーズというのはそのためである。すなわち、われわれは「ラジオでワールド・シリーズの試合の中継放送を聞いた」という場合、カタカナの部分を英語ふうに発音しようとしても、しにくいことに気がつく。

どんな外来語でも、みな日本語化されて発音されている。われわれが日常話したり、聞いたりしていることばは、例外なく特有の日本語色をもっている。

同様に、ロシア語にしても、ポルトガル語にしても、それぞれ特有の「色」をもっている。その「色」の特徴をしっかりつかんでしまうことが、なによりも先決問題である。

「ドイツの方々はたいへん親切です」とドイツ語でいおうとして"Die Deutschen sind sehr……"まできて、「親切な」でつまったとしても、ドイツ語の発音さえ正しかったら、kind(英)とかgentils(仏)などが出てくるはずはない。

英語のhouseとドイツ語のHausのように、よく似ているように聞こえる単語においてすら、よく聞くとそれぞれ英語的、ドイツ語的な特徴がまぎれもなく響いていることに気がつくようになる。それくらい、音にたいする感度を養うべきである。

発音の勉強は、語学の勉強の中でも、もっともたのしいものである。白水社、岩波書店などのソノシートつき語学入門シリーズの発音編など、手ごろな手ほどきの材料となろう。英、仏、独、中、伊、西、露などのおもなことばのものが、入手できるようである。

歌のほんとうの美しさは、正しく歌わないとわからないのと同様に、ことばの生きた美しさも、正しい発音なしでは絶対に鑑賞できない。だから、正しい発音を習得するということは、間接的な意味で、語学学習全体にうるおいをもたらすものであるのみならず、ことばのエスプリにふれるには、絶対に不可欠な条件である。

しかも、「あなたは発音がとてもきれいだ」とほめられると、なんともいえないほどうれしいものである。

28　第一外国語で第二外国語をアタックする法

わたしはトルコ語を学ぶとき“Die Grammatik der Türkischen Umgangssprache”というドイツの文法書によった。適当な日本語で書いたものがなかったからである。

そのとき、すでに一つの外国語を習得している者は、その語によって第二の外国語を勉強したほうが、第一と第二をともにコンスタントに定着させることができる、ということを知った。しかも、日本語を通じてよりも興味ぶかく、また、早く覚えられるのである。これは、日本語を通じてよりも把握が直接的だからであろうと思われる。

高校三年の学生なら、その英語の学力をもって、十分に第二外国語の入門書を読めるはずである。たびたび出てきた“Teach Yourself”シリーズでは、各国語を刊行しているから、その中から自分が学びたいと思う外国語のものを選んで読めばよい。

これは、たとえば、ドイツ人から直接に、英語だけで（日本語を混ぜずに）、ドイツ語を教わるのと同じ理屈である。英語がわからなければ、ドイツ語の授業はわからないことになるから、どうしても英語に力を注ぐ。それで英語はいよいよ上達するし、ドイツ語もわかるというわけである。

わたしはドイツ語でトルコ語を勉強したとき、読み進むにつれて、自分のドイツ語の知識に満足感をもち、いよいよ自信を深めた。つまり、日本語でトルコ語を勉強したならば、トルコ語を知っただけで、ドイツ語にはなんの関係もなかったであろう。ドイツ語の文法書で読んだからこそ、ドイツ語の力と自信をもちえたのである。つまり、日本語で学ぶよこと（ママ）プラス・アルファであった、といまも思っている。

わたしの場合は、日本語で書いた適書がなかったからの、やむをえないことではあったが、日本語の参考書のある語でも、あえて自分の既得の第一外国語で、第二外国語の勉強をしてみられるようおすすめしたい。それには、ごく最近になってすぐれた、いくつかのことばの入門書が見られるようになったが、まだ、英語、フランス語、ドイツ語のような主要語以外については、日本ではよい入門書がひじょうに少ないという、悲しい理由もあることをつけ加えておく。

29　執念を習慣づける

わたしが主宰している英語の声の月刊誌“The English Journal”の仕事で、フィギュア・スケートのジャネット・リン嬢にインタビューした。そのとき、私の「なにかひとつのことをマスターするためには、どんなことが大切だと思いますか」という質問に彼女は、

Well, first of all..... if you want to do anything well, you have to really love it more than just about anything. And you have to want to sacrifice some other things so that you can train many hours a day, and maybe not to go out with your friends and not to stay up late like you would normally......

（第一に、なにごとも首尾よく成し遂げるには、自分のやっていることが、他のなによりも好きでなくてはなりません。また毎日何時間も練習できるように、いさぎよく犠牲にしなければならないこともあれこれと出てくるでしょう。そのほか、お友達と出歩いたり、普通の生活におけるように夜遅くまで起きているといったようなこともあきらめる用意が必要でしょう。）

と語ってくれた。厳しいトレーニングに徹して技をみがき上げたスターの言葉である。そこにはスケートに対する彼女の執念が感じられた。まさにそのとおり、と私も思う。スケートと語学とでは、内容はまったく異なるけれど、語学を通じて得た私の

経験と彼女の言葉とは一致している。「好きこそものの上手なれ」である。英語についても同じことで、もし英語が好きなら、あなたは英語の上達に必要な、もっとも有利な条件を備えていることになる。好きであればあるほどよい。三度の食事よりも英語が好きという人は前途有望である。好きであればこそ、勉強法にも自己流の工夫を加えることになって、さらに有利となる。

しかし困ったことに、人間は変心も変身もしやすい。あれほど好きだったものが、いつの間にか無関心になっていた、という経験はだれにでもよくある。変心し無関心になったときには、たとえば英語なら英語を、意識的に、しつこく、好きに自分をすることが上達のコツである。

11項でわたしは、「ガムシャラにやってはひと休みする」方式をすすめた。しかし、ひと休みして、自然にまた興味が湧きあがってくるのを待つつもりでいたところが、いつまで待っても、二度と興味を感じることはないかもしれない。わたしの場合は、語学に対する執念から、必ずまた机に戻ったものである。

そのようなときには自己暗示をかけるとよいという人もいる。たしかに、「自分は英語をマスターしてやるんだ」といつも自分にいいきかせることは、語学への執念を意識的に植えつけることになるので、効果は大きいはずである。

少々、理屈っぽくなるが、英語が好きだから英語に上達するということは、裏を返せば、好きだからこそ自然に、英語への執念が養われているともいえる。もっといえば、執念さえあれば、英語がたとえ嫌いでも、上達への道を開くことができるかもしれない。

もっとも、英語が嫌いで、しかも勉強もしたくないが上手になりたい、というのではムシがよすぎる。牛を川辺まで引っ張って行くことはできるが、水を飲ませることはできないというたとえ話を思い出す。

けれども、食わず嫌いで英語を苦手としている人は、大いに希望がある。食わず嫌いの人はまず、英語への執着心を蓄えることからはじめるとよい。手始めに、英語をいつも意識するよう心がけるのである。ひまさえあれば英語のことを考える習慣である。

次に、自分のレベルに合った入門書を求める。どの入門書が適当かは、各自各様でいちがいにはいえないが、選択の基準は、「これならいけそうだ」という、自分自身の直感で十分である。あとは、その本との取っ組み合いである。

全ページがすり減ってしまうまで、眼光紙背（がんこうしはい）に徹する心構えで、繰返し繰返し、マイペースでよいから読破する。10項で述べた「うるし塗り」の要領である。

ただ、ここで注意していただきたいのは、チャランポランに目を通しているだけでは何度通読しても時間の無駄で、なにも得られないということである。また、何回読み終わっても、けっしてそれで満足してはいけない。どんなに注意深く読んでも、必らず読み落としがある。これは英語に限らないが、本を読み返すごとに、新しい発見をすることは、だれしも経験があると思う。

高校生の頃、わたしは角が丸くなり、バラバラになった本をノリづけして読み返し、その本の目次の見出しを見るだけで、その見出しの部分に書いてある内容はすべて書けるくらいまでに熟読した。ブック・レポートと称して、本を見ずに、本と同程度の内容を自分で書いてしまうのである。ようするに、徹底的に本とつき合うことである。

わたしは「根性がある」とよく人からいわれる。が、どうもピンとこない。根性のあるなしは生まれつきのものと思っている。そしてわたしは、むしろ根性がないほうだと自分では考えているのだ。変なたとえだけれど、首をつまんでぶら下げたら、脚をだらりとぶら下げる猫のような人間なのである。

しかし、「根性のある人」が語学に立ち向かったら、大成功をおさめることは疑いない。根性のある人は同時に、執念深い人でもあるにちがいないからである。

わたしの場合は、もって生まれた根性はないが、自分で鍛え上げた、物事に対する執念というか、執着心というか、ようするにしつこさが唯一の武器なのである。各国の言葉を学習した体験から、上達にもっとも大切なことは、この〝執念〟の一語につきると断言できる。

発明王トマス・エジソンも、真珠王御木本翁（みきもとおう）も、またその他、輝かしい偉業を成し遂げた人たちは皆、苦労しつつも執着心で、栄光の冠をかち得たのだということを、肝に銘じておきたい。

総論　外国語をマスターすることとは

ひと言に「外国語をマスターする」といっても、その定義となると曖昧で、だれにでも納得してもらえるような定義はないだろう。おそらくこれは、外国語を学ばない人が考え出した表現にちがいない。

とりあえずここでは、「与えられた言葉を母国語とする人々が、それを読み書き話すことを基準にして、正しく理解でき、使えるようになること」と定義しておく。「正しく」とは「文法的に正しく」という意味である。

言葉は生きたものであり、それは一定の約束、すなわち文法の支配を受けている。だから言葉の本質を理解するためには、文法の学習ぬきでは考えられない。言葉の根本原理である文法をおろそかにして英語を覚えた場合、本物の英語を読んでも正しく理解できず、話してもブロークンしか口にし得ない。

また発音の本質を知る上では、25項で述べた方法、つまりローマ字で綴った日本語を、外国人に発音させる方法なども有効である。

一方、完全主義者は上達しないともいわれている。だから、間違ってもいいから思い切って話して自信をつけるのがよいというのである。このことは、日本人ははにかみ屋だからという前提に立った助言だろうが、この考え方では「意味が通じたようだ」という程度の、はかない満足感しか得られない。相手の尊敬を得ることなど望むべくもない。

その程度の語学力では外国人との会話も楽しくないし、相手も退屈するだけだから、どうしても必要な場合は別として、6項で述べたように、まず自分でせっせと勉強することが第一である。

あとがき

ふり返ってみると、熱病にとりつかれたように語学と取りくむようになってから、もう一五、六年になる。その間、盲目的に吸収してきた知識は、後になって自分にとってどんな意味を持つものになるのか、つゆ知らぬまま、また、はたからは「語学気狂い」とあきらめられたまま、つぎからつぎへと新しいことばの遍歴をしてきたのだった。だから、いくつの言葉を勉強したのか、数えたことなどなかったのも、むりはなかろう。

たしかに、「語学気狂い」ではあった。ところがまわりの人々は、わたしのことを天才呼ばわりしはじめた。そういう人たちに、けっしてわたくしは「天才」ではないことをわかっていただき、勉強は要領よくさえやれば、まったく驚くべき効果がえられるものであることを思いおこしていただきたいと、かねがね思っていた。

そんな矢先に、「なにか反省記でも書いてみませんか」と、おすすめを受け、自分のことをなに者と思ってそんな話を持ちこまれたのだろうと、いぶかしく思いながらも、ともかく自分の「語学的過去」をかえりみて、分析してみた。そして、いつの間にかわたしの勉強机には一種の不文律のようなものが確立されていたのに、はじめて気がついたのである。おおげさにいえば、「語学を要領よく勉強する」ということは、ふへん的になににも通用する、もっとも根本的な能率の原理の上に立つものであることに、おそまきながら自分の経験から直接目ざめたのであった。

青春の全情熱をかたむけて吸収した語学の知識が、万博準備会など国際会議の総合サービスという新しい分野で活躍するいまの職場（日本コンベンションサービス）でこの上もなく役だっていることは、単なる偶然であるのかもしれない。しかし、猛烈な集中度と最短距離を求めて自分なりに工夫した方法論は、将来わたし自身がどんな仕事をするようになっても役だつものであることを信じてやまない。わたしが「並才」以外なに者でもないことを告白するこの小冊が、その意味で皆様のお役にたてば幸いである。

最後に、わたしの言い分を一冊の本にまとめあげるべきょっかけを与えられ、始めから終りまで理解あるご協力を惜しまれなかった実業之日本社出版部の森田芳夫氏に、心からなる感謝の意を表わしたい。

昭和四十四年三月

種田輝豊

新版発行に際して

はやいもので、本編を書き終えてからもう四年になる。版を重ねるにつれ、数多くの読者からお便りをいただいた。多くの方々から、結論を欠く未完の書と、お叱りをもいただいた。もとよりこれは、わたしの個人的体験を述べた記録であるだけでなく、わたし自身が（一生そうであろうが）勉学の途にある者であるから、普遍的な結論を出せるかどうかいささか疑わしい。

しかし、中学から大学まで十年間にわたって英語に接しているにもかかわらず、自信が全然もてない人があまりにも多いのは、理解に苦しむ。

英語を満足に使いこなす日本人がかくも少ないのは、日本が植民地化されたことがないからで、東南アジアの政治家に外国語が達者な人が多いのは、もと植民地だったからだという意見があるが、なんとこれは情けない言い逃れではないか。海外向けの日本の出版物の拙劣さをみても、二流の独立国よりも、いっそのこと、一流の元植民地のほうが立派ではないかとさえ考えてしまう。

また、中国語の語順は英語と同じだから中国人は英語が上手なのだともいう。しかし、結論からいえば、これはナンセンスである。她是中国人〈彼女は　です　中国人〉のような基本構文からみると英語と同じ語順といえるが、她説的日本語、您听得明白嗎〈彼女　話す（ところの）日本語　あなた　きいて　理解できます　か〉に至っては、英語よりもむしろ日本語の発想法に酷似していることがわかる。もっとも、発音とか構文のある部分から考えると、日本人よりも中国人のほうが、英語にとっつきやすい面があることもたしかである、それはしかし、学習のごく初歩段階でのことで、学習が進めば、日本人も中国人も、また他の東南アジアの人々も、同じ苦労を経験するはずである。

自分たちが外国語に不得意であることを正当化するための理屈をこねてもはじまらない。

六年ほど前、東南アジアからの観光団と一週間、わたしはガイドとしておつき合いしたことがあった。インドネシア、フィリピン、シンガポール、台湾などからの、約三十人の老若男女であったが、そのうち七、八人を除くすべての人が英語をよく解した。

おもしろかったのは、年寄りほど訛りが強く、流暢さを欠き、いかにも苦労しながら外国語を使っている感じであったのに対して、若い人たちは、今様の英語にずっと慣れていたことであった。やはり、近代的な外国語教育の成果であろうか。

十五歳になるフィリピンの女の子の話だと、彼女は、英語を勉強しはじめてからわずか四年とのことであった。単語の数は限られていたが、どんな話題についても、スラスラと話すのを聞いて、なんと機動性のある語学力かと感心したものである。彼女の場合は、最初の一、二年で英語の特徴を教えられ、その後は、英語で英語を教える学校に通ったという。そういえば、日本ではあまり行なわれていないのが、この英語で英語を教える方法である。

あるアメリカの友人が言っていた。「日本では英語を日本語で教えている」と。英語の授業を参観したが、授業中は日本語ばかりで、英語が出てきたのは、ほんの二、三度だけであったとか。

この四年間の間に、わたしも国際会議関係の仕事からオーディオ出版の仕事へと転職し、仕事の内容もがらりと変わった。とはいえ、情熱を注いできた外国語の研究からかけ離れた仕事ではないので、語学屋としてのわたしは、依然、健在のつもりである。

ただ以前にくらべて、多くの外国語との生きた接触の機会が少なくなったのを残念に思っている。しかしそのために、新しい研究課題ができた。攻め一方でたたき上げてきたこれまでの知識を、いかにして保持するか——いわゆる maintenance の問題がそれである。

一般に、新しい知識を学ぶことには、一種の冒険のよろこびがあるが、いったん貯蔵された知識を整理し、保持する作業は、往々にして退屈なものである。学校でやらされる予習と復習についても同じことがいえるが、得意な課目の場合はそれでも、復習も好きになれる。私の場合、英語の復習だけは楽しかったことを覚えている。しかし今考えてみれば、この復習の習慣は最初、父親に強いられたものであった。復習の大切さを身にしみて感じるようになったのはごく最近のことである。

この四年間、わたしは予定していた新しい言葉、モンゴル語やヘブライ語、その他のハム・セム系の言葉を勉強することができなかった。いくら仕事が忙しくても、その気になればやってできなかったことはなかっただろう。しかし、いままでに学んだ言葉を放っておいたら、サビついてしまうと考えて、復習に徹底して、maintenance を図ったのである。

その方法は、言葉ごとに録音してあったテープを分類し、十日にひとつの言葉の割合で聞くことであった。録音してくれた各国の人々とのさまざまな思い出の中で、なつかしく聞き入ったものである。

またある日、古本屋でわたしは、あるとっ飛なアイディアが浮んだ。いまどきでは珍しい十円という値段のフランス語の入門書と、英文法、ドイツ語それぞれの入門書を買って帰った。そしてアルファベットの説明、発音の説明と順を追って、説明文の一字一句、句読点にも目を輝せて熟読した。この復習法でわたしは幾重もの驚きを経験した。しかし一般には、自分が実際に使った、赤線や書き込みで汚れた入門書や参考書を引っ張り出して、いま一度挑戦するのも maintenance のよい方法と思う。わたしにとって復習は大きな喜びの発見であり、真実としての知識の普遍性の確認であった。

昭和四十八年八月

種田輝豊

〔文庫版追記〕

著者の種田輝豊氏は、本書を刊行した後、一九八一年にアメリカ人の妻と息子二人とアメリカ合衆国カリフォルニア州サンディエゴに移住し、通訳者・翻訳者として活躍した。

家族とともに（1983年）

自宅にて（2007年）

解説　ポリグロットに憧れる「種族」

黒田龍之助

比較文学者で詩人の管啓次郎（すがけいじろう）さんと、大学の同僚だった頃の話である。何かの用事でわたしの研究室に立ち寄った管さんが、書棚を眺めて手に取った本が『20ヵ国語ペラペラ』だった。

「やっぱり黒田さんも読んだんだね」

そりゃもちろん。じゃあ、管さんも読んだんだ。

「当然だよ。この種田さんについて、ある外国人から聞いたことがあるんだ。その人は来日して種田さんに通訳してもらったんだけど、その運用能力がとにかく素晴らしいって絶賛してたんだよ。でもその外国語は、種田さんにとっては五番目か六番目くらいの言語で、もっとも得意ってわけじゃないらしいから、すごいよね」

いかにも種田さんらしいエピソードではないか。

かくいう管さんだって英語、フランス語、スペイン語、ポルトガル語を操って数多くの文学作品を翻訳し、当時はマオリ語に凝ってせっせと勉強していたのである。「本は読めないものだから心配するな」という管さんも、『20ヵ国語ペラペラ』を読んでいた。嬉しかった。

『20ヵ国語ペラペラ』は高校時代の愛読書だった。熱中して、感動して、憧れた。わたしを外国語の道へと導いた一冊であることは、間違いない。

ところが周囲はそうでもなかった。英語が得意だった叔母の家に本書があったので、話題にしてみても「ああ、あれね」といった感じで反応がよくない。高校のクラスメートで、英語の成績が抜群によかった友人に貸したところ、「うん、なるほどね、でも20カ国語上達の記録はつまらなかった」という。

そうかな。わたしは「II 20カ国語上達の記録」がもっとも好きなのに。

もちろん「I わたしの語学人生」もくり返し読んだ。同じ高校生がもの凄い集中力で外国語を学ぶ姿は眩しかった。とはいえ、ここでは主に英語学習について語られている。一方わたしが興味あったのは、英語以外の外国語だった。

世界中の外国語に限りなく惹かれていた高校時代のわたしにとって、「II 20カ国語上達の記録」はバイブルだった。ここで挙がっている語学書は図書館に行ってすべて目を通し、入手可能ならば買った。洋書は公立図書館になかったので、Teach yourself シリーズは日本橋の丸善に出かけて手に取ってみたが、当時の英語力では難しかった。Bodmer の *Loom of Language* は見つからなかったが、後に読んでみれば Teach yourself 以上に難しい。種田さんがいかに英語のできる高校生だったかが伺われる。

Loom of Language については、スウェーデン語のところで言及されている。「（……）北欧語の描写の中で、スウェーデン語がもっとも字づらがきれいに見えたので、まず、スウェーデン語からはいってみようと決心した」（一三一ページ）。この文は暗記するほどくり返し読んだ。ある外国語に対して「字づらがきれい」という表現も驚きだったが、それがフランス語とかドイツ語といった主要言語ではなく、スウェーデン語というのが限りなくカッコよかった。

『20ヵ国語ペラペラ』にはスウェーデン語に関する話があちこちで出てくる。冒頭の「ある朝、ホテルのロビーで」は、拙著『寄り道ふらふら外国語』（白水社）で引用するくらい好きだ。「"Kanske kommer Ni från Skandinavien?"（多分、北欧の方ではないかと存じますが？）」（一六ページ）にあるåの文字は、わたしにとってスウェーデン語の象徴であり、目にするだけで嬉しくなる。

だが実をいえばåはスウェーデン語に限らず、デンマーク語やノルウェー語でも使われる。ノルウェー語！　わたしが覚えているかぎり、一九八〇年代前半に日本語で読めるノルウェー語教材は、清水育男『英語対照ノルウェー語会話』（大学書林）くらいしかなかったはずだ。いくら何でも会話集だけでノルウェー語は学べない。ところが種田さんは *Teach Yourself Norwegian* を読んで学習する。ノルウェー大使館員に頼んで民話を朗読してもらい、それを録音してくり返し聴く。信じられない積極性だ。そして「落書」と称して「ノルウェー語で雪の街の感想文」（二〇一ページ）を書くのである。

振り返ってみれば、本書に登場する言語名に対して、自分が過敏なまでに反応していたことに気づく。スウェーデン語とかノルウェー語とか、そういった外国語の名前が散りばめられているだけで、なんだかうっとりとしてしまっていたのだ。

多言語への憧れを育んでくれた『20ヵ国語ペラペラ』だが、周囲の反応が芳しくなかったのはなぜか。

まず、一つのことを極めるのを良しとする風土。種田さんも「父はいつも、「少なくとも一つのことには絶対に強くなりなさい」といっていた。しかし、わたしはなにに強くなったらいいのかわからなかった」（一一〇ページ）と書いている。この状況はわたしの高校時代どころか、現在でも変わらない。

また、多外国語の学習は混乱するという迷信。「Ⅳ 体験的速習術29項」には、「「何カ国語を知っている」とわたしがいうと、人はすぐ、「実際にしゃべる場合、よく混乱しませんね」と心配してくれる」（二四三ページ）とある。種田さんはそんな混乱などあり得ないことを丁寧に説明する。だがよく混乱しませんねという発言には、そんなに外国語をやって何の意味があるのですか、という批判的な気持ちが込められているのではないか。

これは今でも続いている。文化の多様性がこれほど声高に推奨されていても、言語となるとみな自分の殻に閉じこもる。ひとりの人間が多くの外国語を学ぶのは愚かなことで、一つか、せいぜい二つがいいところ。多様な外国語は各自で分担すれば充分だと、論理をすり替えてしまうのだ。

だが、そうではない。

というか、世の中にはひとりでいろんな外国語を学んでみたい人がいるのだ。そしてそういう人が拙著を読み、大学ではゼミに集まってくる。

ゼミ生ククルーザ（仮名・女性）は、大学入学以降に集中講義でポルトガル語、ペルシア語、イタリア語、ロシア語、ドイツ語、ラテン語、タイ語、フランス語を学習した。ゼミではスウェーデン語を担当する。スウェーデン語の学習環境は、種田さんの頃に比べれば格段によくなったが、それでも周囲には理解されないという。

ゼミ生ゼム（仮名・男性）は、心の底から外国語が好きである。中学二年生でスペイン語の入門書を買い、他にも中国語やドイツ語、さらには南アフリカのコサ語に興味を持つ。高校に入ってからは韓国語、アラビア語、ポルトガル語、ロシア語、タガログ語、インドネシア語、スワヒリ語などを、本人曰く「一人でにやけながら楽しんでいました」。現在、ゼミではグルジア語を担当しているが、お気に入りはコサ語で、クリックといわれる吸着音を出したり、自分の学習状況を撮影してネット上にアップしたりする。見た目はイマドキのイケメンだから、いくらでも女性が近寄ってくるのに、彼の語学好きについて行けずに去る者が後を絶たない。それでもゼムはやめられない。

どうやら、世の中にはそういう「種族」がいるのではないか。そしてそうでない人は、実はそんな「種族」が羨ましくて、でも自分では踏み出せないので、混乱しないかとか、そんなにたくさんやって何の意味があるのかとか、そういう意地悪なことをいうとしか思えない。

わたし自身について語れば、外国語はみんな大好きだし、その間で優劣をつけようとは思わないけど、一定の方向がある。常に中心に位置するのはロシア語で、これは揺るがない。傍から見れば多くのスラブ系言語を学び、他にもフランス語とかドイツ語とかイタリア語なんかと付き合っているように見えるだろうが、それでもロシア語のことは忘れない。クロアチア語が通じる嬉しさ、チェコ語が読める楽しさはかけがえのないものだけど、それとは別にさまざまなスラブ諸語の知識や、さらにヨーロッパ諸言語を知ることで、ロシア語を豊かにしようとしているのである。これがわたしの選んだ道だ。

多言語に触れたい人はどこかでそんな気持ちがあるのかもしれない。管啓次郎さんの場合、中心は英語であり、これは本人も認めている。だがフランス語、スペイン語、ポルトガル語を知ったうえで南北アメリカ詩学を追い求めることは、やはり豊かなのである。おそらく、ククルーザもゼムも、いずれは自分の中心に気づいて、豊かな外国語人生を歩んでいくに違いない。

では種田さんはどうなのか。聞くところによれば、ご本人は後にスペイン語がいちばん得意だと語ったこともあったらしいが、それでも彼の中心にはやはり英語があったのではないか。小学生時代から取り組んできた英語。後にイタリア大使館でアルバイトしたり、北欧諸語に熱中したりしたが、それでも英語のことは決して忘れない。彼の中心は英語だから。

とすれば、『20ヵ国語ペラペラ』は数多くの外国語を学びながら、英語を極めていった人の物語とも読めるはずだ。英語ひとすじに取り組んだ人は数知れないが、20カ国語を通して学び続けた種田さんの英語は、他の人が簡単には近づけない豊かさがあった。そしてその豊かさは英語だけに限らず、たとえ五番目か六番目の外国語であっても、相手が舌を巻くほどの豊かさにつながっている。そんなふうに考えるのである。

『20ヵ国語ペラペラ』というポリグロットの自伝を、多くの人はどうやったらそんなにたくさんの外国語がマスターできるのか、その秘密を知りたいと期待して手に取る。それに対して、本書がどれほど役に立つかは分からない。

その一方で、多くの外国語に惹かれる「種族」は、本書を読み返すたびに気持ちが明るくなり、周囲に理解されなくても勉強を続け、さらに新しい外国語に挑戦していくに違いない。本書がちくま文庫で復刊されることが、外国語をたくさん勉強したい「種族」にとって朗報であることは、いうまでもないのである。

本書は一九六九年五月に実業之日本社により刊行されました。今回の文庫化にあたっては、一九七三年十月に刊行された改訂版を底本としました。また副題を付し、一部の語句の表記の修正と写真の変更を行いました。

ちくま文庫

20ヵ国語ペラペラ
――私の外国語学習法

二〇二二年五月十日　第一刷発行
二〇二二年六月五日　第二刷発行

著　者　種田輝豊（たねだ・てるとよ）
発行者　喜入冬子
発行所　株式会社　筑摩書房
東京都台東区蔵前二―五―三　〒一一一―八七五五
電話番号　〇三―五六八七―二六〇一（代表）
装幀者　安野光雅
印刷所　三松堂印刷株式会社
製本所　三松堂印刷株式会社

ISBN978-4-480-43818-8　C0180